Radicalisation

Radicalisation

Farhad Khosrokhavar

Éditions de la Maison des sciences de l'homme

La collection « interventions » est dirigée par
Michel Wieviorka et Julien Ténédos

La production scientifique peut contribuer à éclairer les préoc-
cupations de nos concitoyens, les aider à s'orienter, répondre à leurs
attentes intellectuelles, à leur curiosité. Ceci est particulièrement
vrai s'il s'agit des sciences humaines et sociales. La collection
« Interventions » propose des ouvrages rigoureux, exigeants,
reposant sur des connaissances sérieusement éprouvées. Des
ouvrages, aussi, rédigés dans un langage accessible et soucieux,
bien au-delà de la seule vulgarisation, de faire progresser le débat
public.

Dans la même collection :
– Michel WIEVIORKA, *Le Front national. Entre extrémisme, populisme et démocratie*, septembre 2013.
– Florence BURGAT, *Ahimsa. Violence et non-violence envers les animaux en Inde*, février 2014.

À paraître en 2014 :
– Nathalie PATON, *School shooting*. 2014.
– Craig CALHOUN et Michel WIEVIORKA avec Edgar MORIN, Alain TOURAINE, *Manifeste pour les sciences sociales*. 2015.
– Céline BÉRAUD et Philippe PORTIER, *Métamorphoses catholiques. Retour sur la mobilisation contre le mariage pour tous*. 2015.
– Jean BAUBÉROT, *Les sept laïcités françaises*. 2015.

Relecture : Olivier Godefroy.
Mise en page : Christophe Le Drean.

Contact : julien.tenedos@rfiea.fr

© Éditions de la Maison des sciences de l'homme, novembre 2014
ISSN : 2269-7144
ISBN : 978-2-7351-1756-7

- Sommaire -

– Sens et enjeux de la notion de radicalisation –

Avant les attentats du 11 septembre 2001 aux États-Unis, la notion de radicalisation était marginale, tant dans les sciences sociales que dans les travaux tentant de rendre raison de l'extrémisme religieux, politique ou social. La littérature consacrée aux mouvements «terroristes[1]» depuis le début du XIXᵉ siècle en Occident s'attachait plus à commenter leurs formes d'action – actes de terrorisme pour les uns, de résistance contre l'oppresseur, l'occupant ou l'ennemi pour les autres – qu'à étudier les processus menant au passage à la violence. À partir des attaques du 11 septembre 2001, les États-Unis ont tenté de promouvoir les recherches sur le terrorisme et sur les phénomènes qui pourraient y inciter, la «radicalisation» devenant une notion cardinale pour expliquer la genèse des groupes embrassant l'action violente.

Par radicalisation, on désigne le processus par lequel un individu ou un groupe adopte une forme violente d'action, directement liée à une idéologie extrémiste à contenu politique, social ou religieux qui conteste l'ordre établi sur le

---

1. J'utilise le mot «terroriste» dans son acception quasiment journalistique, tout en sachant bien que celui qui est qualifié de terroriste d'un côté est perçu comme un résistant ou un libérateur de l'autre.

plan politique, social ou culturel (Borum 2011, Wilner & Dubouloz 2010). Le développement de cette notion dans ses implications pratiques est, dans sa vogue récente, indéniablement lié à des soucis sécuritaires et répond à des questions du type : comment protéger des attentats les villes, les individus, les pays (surtout occidentaux, mais par extension, les autres[2]) ? Comment juguler les extrémistes, surtout les islamistes radicaux, afin de réduire, si possible à néant, leur capacité destructrice ? Ou encore : comment lutter contre les réseaux terroristes, dans les frontières nationales comme à l'extérieur ? Ces réseaux étant souvent transnationaux, comment s'associer et coopérer avec les autres pays pour mettre fin à leurs activités dans plusieurs pays à la fois ? Comment identifier ces réseaux et leurs leaders pour pouvoir les neutraliser ?

Quels sont les processus qui amènent des individus à adhérer aux groupes extrémistes ? Comment lutter contre l'attrait des idéologies radicales (l'islam jihadiste en premier lieu, mais aussi des visions violentes d'extrême droite ou d'extrême gauche) dans les sociétés et, en particulier, comment lutter contre ce que l'on a appelé le terrorisme maison (*homegrown terrorism*) ou le terrorisme de l'intérieur, dont le foyer n'est pas dans un pays étranger (le Moyen-Orient) mais en Europe ou, plus rarement, aux États-Unis, en Australie ou au Canada ?

Une autre série de questions concerne le profil des personnes qui s'engagent sur la voie de la radicalisation : quels sont les profils types de ceux qui trempent dans le terrorisme sous ses nouvelles formes ? Comment les groupes se constituent-ils, s'agrègent-ils, mettent-ils en branle une action violente ? Comment recrutent-ils leurs membres, qui sont

---

2. Le nombre de personnes mises à mort par les islamistes radicaux a été beaucoup plus important dans le monde musulman qu'en Occident dans la dernière décennie.

leurs sympathisants et en vertu de quels critères ces derniers adhèrent-ils à leur vision radicale jusqu'à s'impliquer directement dans les attentats, bref, comment des sympathisants passifs se transforment-ils en terroristes actifs? Enfin, comment mettre en œuvre des actions pour «déradicaliser» ceux qui ont cédé à l'attrait des extrémistes? En Grande-Bretagne, aux États-Unis, en Norvège et dans des pays musulmans (l'Arabie saoudite, l'Algérie…), on a imaginé des procédures de «déradicalisation» combinant thérapie de groupe, séances d'endoctrinement par des «autorités compétentes» (des imams pour les islamistes radicaux), et suivi policier et psychologique afin de conduire les anciens radicalisés vers des comportements non-violents.

Les gouvernements ont mis à contribution le monde académique, surtout aux États-Unis, mais aussi, dans une moindre mesure en Europe ainsi que dans les régimes souvent autoritaires du Moyen-Orient et ailleurs, afin d'identifier les profils des prétendants à une action violente fondée sur une idéologie radicale où l'islam jihadiste se taille la part du lion. Des milliards de dollars ont été investis, directement (par les services de renseignement américains, surtout le Homeland Security, mais aussi, de manière autonome, par les villes, comme New York) ou indirectement (par les subventions à la recherche), pour parer au manque d'informations à ce sujet. Autrefois thématique marginale, la radicalisation est devenue un sujet majeur, promu par les États en Occident – et sous leur impulsion, par les États musulmans ou ceux qui en sont affectés (Singapour ou encore la Russie, la Chine…) – afin de rassembler l'information nécessaire pour contrecarrer la violence massive perpétrée par des groupes restreints.

On en est venu à parler d'une nouvelle forme de guerre à basse intensité dont la démultiplication, après la fin du monde bipolaire symbolisée par la chute du mur de Berlin en 1989, montre une mutation majeure dans la configuration des conflits. Ce type de guerre, fait de guérilla, mais aussi de groupes «terroristes» intervenant dans les villes en faisant exploser les charges qu'ils transportent (attentats-suicides), ne peut pas être combattu efficacement par les armées traditionnelles sans de profondes modifications dans leur façon de mener le combat et de recueillir l'information.

Depuis les années 1990, on a assisté en Occident à l'apparition de terroristes «faits maison», des actions violentes étant menées par des islamistes radicaux nés et éduqués en Europe ou aux États-Unis (par exemple Khaled Kelkal, éduqué en France, auteur de l'attentat du RER B à la station Saint-Michel à Paris le 25 juillet 1995, qui a fait 8 morts et 148 blessés). Mais les membres de réseaux d'autres pays peuvent aussi trouver l'occasion de séjourner en Occident, comme l'avaient fait en Allemagne les membres d'al-Qaida qui ont procédé à l'attaque des tours jumelles à New York. Pour les services de renseignements, repérer ces deux types de terroristes pose des problèmes différents.

Le besoin d'informations sur ces terroristes, maison ou non, sur les modalités de leur adhésion à des idéologies prônant la violence et sur les formes que revêt leur passage à l'acte a fait en grande partie la fortune de la radicalisation comme notion clé permettant de comprendre les étapes de la formation de l'acteur terroriste.

Phénomène ultra-minoritaire

La radicalisation est un phénomène minoritaire, voire ultra-minoritaire, dans les sociétés occidentales et même, islamiques. Beaucoup de gens peuvent adhérer à une idéologie radicale, beaucoup peuvent donner dans l'action violente pour des motifs économiques ou sociaux (délin-quance, crime passionnel…), mais peu conjoignent les deux dimensions pour en faire un moyen d'expression de soi. Ceci sauf lorsque les États adhèrent à une idéologie suprématiste (supériorité d'une race ou d'un groupe social sur d'autres) ou s'instituent représentants d'une classe (la classe ouvrière dans le cas de l'Union soviétique sous Staline) ou d'une nation (nationalisme radical, comme le national-socialisme dans l'Allemagne hitlérienne) – mais la notion de radica-lisation, telle que nous la définissons, n'inclut pas l'État et se cantonne à des mouvements par le bas, qui sont le fait d'individus ou de groupes prônant une idéologie extrémiste et passant à l'action violente. La notion de radicalisation a des affinités électives avec celle de terrorisme, mais elle s'en distingue par le fait qu'on se focalise sur les acteurs et les modalités de leur adhésion à l'action violente, sur leurs moti-vations, bref, sur la dimension subjective de leur action en relation avec les types d'organisations qui les encadrent et à l'apparition desquelles le radicalisé contribue à sa façon.

La radicalisation, dans cette perspective, est fortement minoritaire, que ce soit en Occident (nous pensons à l'acteur jihadiste, mais aussi à celui d'extrême droite violente comme le Norvégien Breivik) ou dans les autres parties du monde (dans le monde musulman les mouvements jihadistes peuvent bénéficier de la sympathie de plus ou moins de personnes mais les acteurs jihadistes au sens strict du terme sont une petite minorité, même au Pakistan).

En Occident, le nombre de meurtres et d'assassinats impu-tables au jihadisme lié à une version extrémiste de l'islam, ou au terrorisme en général, y compris celui de l'extrême droite ou de l'extrême gauche, est tout à fait limité si l'on se place après juillet 2005. Les attentats du 11 septembre 2001 ont fait 2 973 victimes et 6 291 blessés, plus les 19 pirates de l'air qui ont détourné les avions sur les tours jumelles et le Pentagone. Les attentats du 11 mars 2004 par les jihadistes dans les trains de banlieue de Madrid ont fait 191 morts et 1 858 blessés. Ceux du 7 juillet 2005 dans le métro et le bus de Londres ont fait à leur tour 52 victimes en plus des 4 kamikazes et quelque 700 blessés. À partir de cette date, seul l'attentat d'Anders Breivik le 22 juillet 2011 a fait un nombre élevé de victimes (77 morts et 151 blessés).

Les chiffres d'Europol pour les années 2011 et 2012 en France et en Europe montrent que le terrorisme jihadiste y est fortement minoritaire ces dernières années, tant en nombre d'attaques qu'en nombre de personnes arrêtées, même si les chiffres varient fortement d'une année à l'autre.

		France	Europe
2011	Nombre de cas d'attaques terroristes	85 attaques séparatistes 0 attaques jihadistes	174 attaques répertoriées dans 7 pays (France, Allemagne, Grande-Bretagne, Espagne, Italie, Danemark, Grèce) dont aucune jihadiste réussie
	Nombre de personnes arrêtées pour terrorisme	174 dont 46 pour jihadisme 126 pour séparatisme	484 dont 122 pour terrorisme religieux
	Nombre de personnes condamnées pour terrorisme	45	316
2012	Nombre d'attaques terroristes	125 cas dont 4 jihadistes 121 séparatistes	219 cas dont 6 jihadistes 167 séparatistes 18 d'extrême gauche 2 d'extrême droite
	Nombre de personnes arrêtées pour terrorisme	186 dont 91 pour jihadisme 95 pour séparatisme	537 dont 159 pour jihadisme 257 pour séparatisme 24 extrême gauche 10 extrême droite 87 non spécifiés

Source : Europol Te-Sat 2012 et 2013

Le nombre des personnes tuées suit plus ou moins la même variation. L'angoisse du public se dirige néanmoins avant tout vers les islamistes radicaux. Les séparatismes corse ou basque (de moins en moins) ou le terrorisme d'extrême droite (le cas Breivik ou l'extrême droite en Grèce, en Allemagne, voire en France) ne soulèvent pas autant de craintes que l'islamisme radical. Il y a manifestement une angoisse liée au jihadisme qui se traduit par la dimension pléthorique de la couverture médiatique, elle-même liée à l'intensité de la peur éprouvée par le public. La radicalisation jihadiste n'est pas mise sur le même pied que celle du séparatisme régional ou de l'extrémisme politique en Europe, car le danger qu'elle représente n'est pas perçu de la même manière : le séparatisme est un phénomène considéré comme interne à la société, alors que l'islamisme radical est vécu comme externe, l'islam étant encore pour la grande majorité une religion non européenne. De ce point de vue, les terroristes islamistes « de l'intérieur » sont d'ailleurs encore plus inquiétants : ils incarnent non seulement une menace, mais aussi une trahison vis-à-vis de l'identité européenne. La disproportion entre le danger réel et le danger subjectivement ressenti tient aussi au développement du jihadisme dans le monde musulman, les méfaits produits là-bas (carnages, nombre élevé des victimes) étant transposés sur le registre interne. On peut tout aussi bien arguer que le jihadisme est neutralisé en grande partie en raison même de la vigilance accrue des services de renseignement et de police, le nombre relativement faible des attentats jihadistes en Europe étant dû à la concentration de ces services sur ce type de terrorisme. Quoi qu'il en soit, la dimension symbolique du terrorisme jihadiste est fondamentale. Mohamed Merah a tué 7 personnes dont 3 enfants, mais l'impact de ces morts ne se mesure pas à leur nombre, et le sentiment d'insécurité qui en a résulté a été bien plus élevé que dans le cas du terrorisme d'extrême gauche ou d'extrême droite en Europe. Le caractère «inhumain» du radicalisme islamiste entre aussi en jeu, ainsi que ses motifs difficilement admissibles : il y a une déclaration d'intention de tuer des «hérétiques» qui contraste fortement avec les motifs «intra-mondains» des autres terroristes (lutte des classes des mouvements de l'extrême gauche, guerre contre l'islam envahisseur de l'extrême droite, volonté d'en découdre avec l'État fédéral aux États-Unis chez les activistes ultra-conservateurs…).

La notion de radicalisation dans les sciences sociales

La radicalisation n'est pas réductible à une approche exclusivement sécuritaire, même si cette dimension prime dans la préoccupation des États à son sujet. Pour le sociologue, il s'agit de poser la question des formes d'activisme dans une perspective élargie et d'analyser les motivations profondes de l'acteur extrémiste en s'interrogeant en particulier sur les effets à long terme de la stigmatisation, de l'humiliation, des formes sournoises de rejet ou d'exclusion dont il est l'objet dans la société. Cette dimension est souvent minorée dans les stratégies de renseignement ou de répression mais, précisément, le rôle du sociologue est de décentrer le débat qui risquerait d'être à visée exclusivement policière pour souligner les aspects économiques et politiques voire socio-anthropologiques du phénomène dans une perspective globale. La radicalisation ne doit pas être appréhendée seulement sur un registre sécuritaire, elle doit devenir un problème de connaissance de la société. Ainsi, les travaux classiques sur le terrorisme abordent la question de façon implicite, sans se focaliser dessus, alors même que le regain d'intérêt pour la radicalisation fait toucher du doigt les causes institutionnelles, organisationnelles, mais aussi les formes subjectives qui leur sont liées, de manière beaucoup plus explicite que par le passé. On en vient notamment à rendre compréhensibles les formes nouvelles d'acculturation symbolique par Internet ou par l'engrenage au sein d'un groupe clos, ou encore la fermeture sur soi de l'individu qui «s'autoradicalise» en rompant les liens avec les «gens normaux», en dissimulant à la famille et aux connaissances ses nouvelles allégeances et en tissant des attaches via les médias sociaux (Facebook, Twitter...) avec d'autres personnes qu'il ne connaît que par la Toile. Enfin, l'insistance sur la radicalisation met l'accent sur les modalités du passage à la violence à partir d'une imprégnation idéologique et sur des types de décision qui peuvent impliquer ambivalence et incertitude (lorsque prévaut la logique du groupe à laquelle l'individu souscrit par crainte de se retrouver seul et sans appui) ou au contraire, une volonté délibérée de croiser le fer avec la société, bref des formes de subjectivation qui engagent un destin mais dont les modalités n'étaient pas suffisamment prises en compte dans la sociologie classique traitant de l'extrémisme.

La radicalisation est à la croisée du court et du moyen terme, voire du long terme: on ne se radicalise pas en quelques jours, le processus est plus long, impliquant des mois de «maturation», des changements d'abord imperceptibles dans les modes de raisonnement, l'affectivité et la sociabilité de l'individu dont l'entourage sent quelquefois la transformation énigmatique sans parvenir à la comprendre. L'effet à court terme, après un «mûrissement» individuel et dans certains cas collectif (quelques individus ensemble), peut être le passage à l'action violente: prises d'otages, tueries, massacres... Une fois en acte, la radicalisation implique encore une mobilisation symbolique où les médias sont mis à contribution pour fabriquer le statut de «héros négatif» que les radicalisés (les islamistes extrémistes ou des extrémistes laïques comme Breivik en Norvège) adoptent bien volontiers. Absente des phénomènes classiques (les anarchistes à la fin du XIXe siècle ne cherchaient pas ce type de notoriété), cette dimension symbolique souligne l'aspect psycho-anthropologique des nouvelles formes de radicalisation.

Jusque dans les années 1980, avant la chute du mur de Berlin en 1989, la radicalisation se pourvoyait d'un corpus idéologique bien défini et soutenu par des États, et le monde bipolaire éliminait la «psychologisation» de la radicalité. Le psychique intervenait, mais tout concourait à en rendre les effets limités, l'existence d'une terminologie bien établie, des enjeux bien circonscrits dans chaque bloc et des formes de sociabilité institutionnalisées rendant «l'ensauvagement individuel» très improbable. Or, à présent, la radicalisation se produit non seulement à partir d'une «objectivité» (exclusion des jeunes issus de l'immigration des pays musulmans en Europe, situation conflictuelle où se trouve le monde musulman, politique pro-israélienne des États-Unis vis-à-vis des Palestiniens...), mais la dimension purement subjective revêt une importance grandissante. C'est celle-ci qu'une approche sociologique et anthropologique permet de mettre en évidence.

Il y a ainsi des enjeux de connaissance dans la prise en charge de la notion de radicalisation par les sciences sociales qui dépassent largement la perspective sécuritaire des services de renseignement et de la police.

À noter que le domaine délimité par le terrorisme couvre en grande partie celui de la radicalisation[3]. La référence au terrorisme se donne pour but d'expliquer sociologiquement, politiquement ou globalement la tendance de groupes à user de la violence idéologisée (Wieviorka 1988), la notion englobant l'État (terrorisme d'État), ce qui est exclu avec la radicalisation, laquelle se concentre, comme on l'a souligné, sur des groupes restreints. Dans la notion de terrorisme, le sociologue ne s'intéresse pas tant au fait que des individus se radicalisent et optent pour la violence (même si cela fait partie de l'analyse globale) qu'à la signification politique et sociale du phénomène, le rôle des individus et leurs états mentaux et psychiques étant subordonnés à l'ensemble de la dynamique sociale, politique et internationale. Dans la radi-calisation en revanche, la sensibilité du sociologue se déplace vers l'individu, sa subjectivité, les modalités de sa subjecti-vation et de son adhésion au groupe ainsi que vers l'inter-action du groupe et de l'individu dans un jeu de miroirs où interviennent la psychologie individuelle, mais aussi la dynamique du groupe, le charisme du chef et l'intensité de l'attachement à lui et aux idéaux professés par le groupe. On trouve aussi dans la notion de « masse », de « foule », de leur relation complexe avec le chef telle que Freud, Canetti ou Le Bon la décrivent, des liens transversaux avec la radicalisation. Mais la notion est surtout tributaire de l'islamisme radical et de sa spécificité, et fait ressortir le caractère « sectaire » et

---

3. Historiquement, terrorisme – terme relativement ancien datant de 1794 – sig-nifiait doctrine des partisans de la Terreur et relevait des modalités de l'exercice du pouvoir par l'État et non en opposition à lui (les partisans de la Terreur ont exercé, avec Robespierre, le pouvoir de mars 1793 à juillet 1794). La lutte contre l'État sous l'Ancien Régime et la violence contre le pouvoir s'exprimaient plutôt par la notion de tyrannicide. Ce n'est qu'au XIXe siècle que « terrorisme » en vient à désigner la lutte contre le pouvoir et l'État par la violence.

«contre-sociétal» de la plupart des groupes qui adhèrent à cette vision au nom d'une idéologie faisant directement intervenir la religion et non des idéologies séculières dont le point d'ancrage est le «peuple», le «prolétariat» ou encore, «la race blanche» ou «l'aryen», personnifications mythiques de collectivités humaines immanentes. La notion de radicalisation tente d'apporter une explication en termes de sciences sociales globales à un phénomène «étrange», du moins pour l'Occident : le retour du religieux sous une forme violente, la mort infligée à l'ennemi ou subie (on accède alors au statut de martyr) étant l'ultime objectif des acteurs. Il y a une dimension inédite de ce phénomène dans son caractère massif chez ceux qui se réclament de la mort sacrée (le martyre) pour promouvoir un type de lutte et défendre des enjeux qui paraissaient «dépassés» par le progrès des Lumières et l'acceptation, en Europe et en particulier en France, de ce que le «peuple» décide du social et du politique, Dieu n'y ayant aucune place. Désormais, des voix qui ont pu mettre la sociologie de la sécularisation et le regard purement «intra-mondain» des sciences sociales en question se font entendre, la notion de radicalisation ayant pour tâche, entre autres, d'apporter une explication «immanente» à des enjeux proclamés «transcendants» par les acteurs en référence à une religiosité qui paraissait encore, dans les années 1960, largement inactuelle, voire archaïque. La notion de radicalisation, dans la perspective des sciences sociales, doit expliquer la résilience des religiosités «mortifères» (exaltation de la mort chez certains martyrs) ou des modes d'expression «néo-archaïques» – oxymore dont le contenu est loin d'être épuisé – où l'inversion des idéaux de vie s'effectue par le truchement de l'opérateur religieux. Le défi est lancé aux sciences sociales d'expliquer ce type de religiosité sans recours à la théologie : la vision théologique des acteurs doit trouver une signification immanente, pas transcendante, en termes sociologiques et anthropologiques.

Par ailleurs, en Occident la radicalisation se produit sous une forme massive dans un contexte particulier, celui de la désinstitutionnalisation : de nombreuses institutions ont subi un affaiblissement et quelquefois même un épuisement qui ont mis à mal des couches entières de la population. Il en est ainsi des syndicats ouvriers ou des partis politiques comme le parti communiste, dont la disparition ou la marginalisation ont rendu extrêmement difficile l'intégration économique et sociale des couches inférieures de la société. Aussi longtemps qu'en France et en Italie le parti communiste était fort, il conférait à nombre d'ouvriers et de fils d'ouvriers une identité sociale marquée et une dignité liée à celle-ci. Le déclin du parti communiste s'est produit dans une conjoncture où il n'y a plus de promotion sociale possible pour une partie importante des classes inférieures, réduites à l'exclusion économique. Lorsque l'exclusion se double de stigmatisation, le mélange peut devenir explosif. Les groupes doublement malmenés et dépourvus du moyen d'expression politique de leur situation sociale ont tendance soit à s'enfermer dans la passivité et le mutisme, avec accroissement de la délinquance et de la criminalité, soit à exprimer leur révolte par la violence, l'islamisme radical étant l'un de ces modes d'expression. La situation empire selon le mode de fonctionnement imaginaire de ceux qui adhèrent à ce type d'action : le référent « islamique » met en branle un engrenage qui peut aller très loin, les symboles du *jihad* (guerre sainte) étant mobilisés et des groupes activistes provenant d'autres parties du monde jouant un rôle d'amplificateur, notamment par la Toile.

Dans le monde musulman, les politiques néolibérales dites d'*Infitah* (ouverture) menées à partir de la fin des années 1980 ont remis en cause le contrat implicite qui consistait à accepter l'autoritarisme en contrepartie d'avantages sociaux. Le jihadisme est l'expression de cet état de fait, où la protestation mais aussi le constat d'échec du nationalisme autocratique et le mythe de l'islam des origines engendrent de nouvelles utopies anti-modernes.

En tout état de cause, il y a un rapport entre le jihadisme et l'exclusion sociale : celle en Europe des générations issues de l'immigration et qui sont réduites à la marginalité ; dans le monde musulman, celle des couches sociales modernisées, surtout des classes moyennes, porte-parole autoproclamée des couches réduites à l'indigence ou à l'impuissance (*mostadh'af*), nombre de jeunes éduqués ne trouvant pas d'emploi et se sentant mis au ban de la société par des pouvoirs despotiques et corrompus. À cela s'ajoute la disparition du monde bipolaire où l'idéologie jouait un rôle essentiel d'un côté comme de l'autre, l'islam assumant désormais en partie le rôle dévolu aux utopies de salut collectif, que ce soit dans leur version marxiste (la lutte des classes mettant fin à l'injustice sociale) ou libérale (le marché comme solution miracle à tous les problèmes).

Dans la littérature, la radicalisation est souvent considérée comme l'articulation entre une idéologie extrémiste et une action violente plus ou moins organisée (Bronner 2009). L'action violente sans idéologie radicale revêt plusieurs formes (délinquance, violence plus ou moins liée à une situation ou au désordre mental, etc.) ; l'idéologie radicale peut en rester au niveau purement théorique et ne pas déboucher, pour de nombreuses personnes, sur l'action violente. C'est lorsqu'il y a conjonction des deux que l'on peut parler de la radicalisation au sens propre du terme.

La radicalisation débouchant sur la violence massive n'était pas possible avant l'introduction des technologies nouvelles. Avec l'invention de la dynamite par Nobel, de la photographie et de la télégraphie, des groupes extrémistes comme les décembristes russes purent, à la fin du XIXe siècle, échafauder des actions susceptibles de mettre à mort un plus ou moins grand nombre de personnes et de répandre la nouvelle dans le monde entier. De même, la volonté de s'affirmer dans la mort par l'acceptation du martyre au sein du jihadisme a abouti à de nouvelles formes d'action comme les «bombes humaines» qui acceptent de se sacrifier, entraînant dans leur sillage des dizaines, voire des centaines de morts (Cook 2010, Kepel 2003), les médias sociaux étant mis à contribution à une vaste échelle pour répandre la nouvelle, intimider «l'ennemi» et encourager les «amis».

La radicalisation est marquée par l'articulation entre une vision idéologique radicale et la volonté implacable de sa mise en œuvre[4]. On y découvre ainsi une double radicalité que chacune des deux composantes ne possède pas à elle seule: l'idéologie extrémiste d'un côté, l'action extrémiste de l'autre, s'inspirant de ladite idéologie mais qui a sa propre spécificité et ne se réduit pas à une simple exécution. Une fois l'action enclenchée, elle suit sa propre trajectoire, compte tenu des aléas et des nécessités mêmes de sa réalisation.

Il faut noter que la radicalisation ne saurait exclusivement concerner les pays musulmans ou les groupes extrémistes se réclamant de l'islam en Occident ou ailleurs (Inde, Thaïlande, Chine…). On peut se radicaliser au nom d'autres idéologies, séculières ou religieuses, un peu partout dans le monde, par exemple le néonazisme ou le néofascisme en Europe, l'extrémisme écologique (l'écoterrorisme, l'une des branches de la *deep ecology*) ou des idéologies *pro-life*

---

4. Voir Farhad Khosrokhavar (2009 et 2011). Une bibliographie exhaustive est fournie à la fin de ces ouvrages.

menant au rejet violent de l'avortement ou de l'homosexualité (des morts aux États-Unis et dans les pays musulmans). Cependant, l'islam radical a été au centre de l'écrasante majorité des études sur la radicalisation, non seulement à cause de l'impact des attentats du 11 septembre et de l'histoire tourmentée du Moyen-Orient, mais aussi parce que les attentats islamistes sont vécus en Europe et aux États-Unis comme beaucoup plus menaçants que ceux procédant d'autres formes de terrorisme (même si les chiffres disent le contraire). La dimension symbolique du terrorisme islamiste est donc fondamentale dans la perception de la menace du côté occidental.

On peut distinguer plusieurs étapes dans le déroulement de la radicalisation : la phase de pré-radicalisation, celle de l'identification de l'acteur aux mouvements radicaux, celle de l'endoctrinement en tant qu'imprégnation par des doctrines extrémistes et enfin l'implication directe des adeptes dans des actes violents (Silber & Bhatt 2007, McCauley & Moskalenko 2008).

Les théories concernant la radicalisation se focalisent tour à tour sur les facteurs culturels, politiques, psychosociaux, internationaux, mais aussi sur les facteurs internes aux groupes radicalisés ainsi que sur le rôle des médias et des réseaux sociaux (Internet)… On y insiste sur la rupture des liens sociaux[5], ainsi que sur les facteurs politiques et leur perception par les acteurs radicalisés (Crenshaw 2005). Dans les analyses, certains s'attachent aux traits spécifiques des groupuscules qui se ferment au monde extérieur ; la radicalisation s'y fait par l'enfermement dans une organisation

---

5. Pour un abrégé des différentes théories sur la radicalisation, en particulier eu égard à l'islamisme radical, voir Khosrokhavar (2009, chap. 1 : «Explanatory approaches to Jihadism»).

sectaire dotée d'une identité forte, opposée à celle de la société globale. Au sein du groupe clandestin, on rompt avec la société et avec le réel, en ne préservant que les liens avec les autres membres du groupe, eux-mêmes coupés des autres et en opposition avec le monde du dehors. En vivant dans cet état de clandestinité et en vase clos, en vue d'un idéal de pureté qui peut dégénérer en violence contre les autres, on devient de plus en plus « radicalisé »[6].

L'engagement dans l'action violente peut être individuel (le loup solitaire) ou, une fois que l'individu a franchi le pas et a rejoint un groupe, peut résulter de l'interaction avec les membres de ce dernier, de l'isolement par rapport à la société globale – notamment lié à des stratégies fondées sur la clandestinité[7] –, autant que de la dynamique interne du groupe. Engagé dans l'action violente, le groupe est sous menace, ce qui induit une identité commune renforçant les dynamiques sociales qui favorisent la cohésion d'ensemble au détriment du jugement individuel rationnel. Dès lors les modes d'action violente peuvent devenir d'autant plus attractifs que le groupe perd progressivement le sens de la réalité sous l'effet de son isolement sectaire. Évidemment, tout groupe sectaire ne

---

6. Voir Donatella Della Porta, « Research Design and Methodological Considerations », *in* D. Della Porta & C. Wagemann (ed.), *Patterns of Radicalization in Political Activism: Research Design*, Veto Project Report, Florence EUI, 2005.

7. Voir McCauley & Moskalenko (2011). Dans ce travail, les auteurs étudient les chemins qui mènent à la radicalisation en s'intéressant aux griefs individuels ou collectifs des radicalisés au sein du groupe de référence ; ils analysent ce qu'ils appellent la « pente glissante », c'est-à-dire la radicalisation graduelle des membres du groupe à mesure que leur liberté individuelle se réduit et que l'héroïsme, le sacrifice, le danger et l'amour du risque sont valorisés, favorisant les plus aventuriers et leur procurant un statut élevé au sein du groupe. Les valeurs du groupe fermé prennent le dessus sur celles de la société et deviennent la référence pour ses membres.

devient pas violent et tous ses membres ne se radicalisent pas. Mais si les ingrédients de la radicalisation sont là, le fait d'être enfermés ensemble peut favoriser le passage à la violence.

Chez certains individus, les liens par Internet avec des groupes radicalisés jouent un rôle essentiel : autant l'individu que le «groupe des copains» ainsi constitué développent des réflexes violents, l'imitation des uns et des autres et le culte du héros amplifiant leur attitude antagonique vis-à-vis de la société. Dans ces groupes, le leadership se présente sous une forme décentrée et non hiérarchique (Sageman 2004, Leiken & Brook 2006). Selon cette perspective, les réseaux affaiblissent le rôle des personnalités et donnent naissance à des groupuscules radicaux sans chef (*leaderless*) (Sageman 2008).

On peut cependant contester ce point de vue, notamment au vu du développement de nouvelles formes de radicalisation en prison, mais aussi dans la rue, où le leader charismatique joue un rôle indéniable pour enrôler d'autres individus, quelquefois dominés ou psychologiquement fragiles, au sein de groupes très restreints d'un à trois membres (Khosrokhavar 2013).

Certains spécialistes tentent d'expliquer la radicalisation par l'interaction entre les processus de prise de décision par les élites terroristes, les motivations des individus au niveau de simples «fantassins», ainsi que les problèmes organisationnels de recrutement et de socialisation des recrues[8]. Ces faits contribueraient à la radicalisation par le cumul de leurs effets dans l'interaction au sein du groupe fermé.

D'autres insistent sur les orientations culturelles et sur le rôle important qu'elles jouent dans un contexte marqué par la mondialisation. L'approche culturelle introduit des notions

---

8. Voir Ami Pedahzur (2004), qui a proposé un modèle en trois étapes.

comme la «culture de violence» (Juergensmeyer 2003) ou la «sous-culture violente» au sein de la société. Par ailleurs, des groupes qui, en raison de la stigmatisation dont ils sont l'objet ou de leur histoire (cela peut être le «colonialisme intérieur» ou tout autre grief contre la société globale), développent un sentiment intense de victimisation («nous sommes les victimes innocentes de la société»), peuvent s'engager dans la violence «légitime» contre les autres.

Un autre ensemble de recherches sur la radicalisation s'attache plus particulièrement aux idéologies religieuses. On note alors que dans les communautés musulmanes d'origine immigrée en Europe, on abonde volontiers dans le sens d'interprétations rigides de l'islam (surtout dans des organisations comme le Tabligh et les salafistes), ce qui fournirait la clé de leur sympathie pour les versions radicales de la religion d'Allah (Coolsaet 2005). Cependant, ces théories n'expliquent pas pourquoi les versions extrémistes d'autres religions ne débouchent pas sur la «guerre sainte».

Enfin, les théories du choix rationnel (*rational choice theories*) tentent de proposer une vision «rationnelle» de l'action radicale. De leur point de vue, l'action terroriste est consciente et repose sur une décision réfléchie consistant à opter pour la stratégie la plus à même d'atteindre les buts sociopolitiques fixés, surtout lorsque l'adversaire est de loin supérieur sur le plan militaire et ne laisse au groupe aucune chance d'une éventuelle victoire dans une guerre classique (voir Gambetta 2005). En choisissant l'option terroriste, al-Qaida fait ainsi un choix rationnel compte tenu de son poids par rapport aux États-Unis et plus largement face à l'Occident, et adopte une stratégie susceptible de lui ouvrir des espaces de manœuvre qui seraient bloqués dans une lutte classique. La radicalité des acteurs a donc une dimension qui va au-delà de toute considération affective et s'inscrit dans un calcul stratégique possédant sa propre « rationalité ».

Dans les nouvelles formes de radicalisation, l'effet de la communauté imaginaire d'appartenance est fondamental : en s'identifiant à une « néo-*oumma* » (communauté musulmane chaleureuse et mythiquement homogène, dont il appelle l'existence de ses vœux), le jihadiste tente de se démarquer de la société froide dans laquelle il vit, où l'anomie (non-appartenance à un groupe conférant l'identité) va de pair avec la stigmatisation et l'insignifiance sociale.

Mon point de vue se rapproche d'une sociologie des acteurs au sein d'une mondialisation où l'individu radicalisé se comporte selon une triple orientation :

– en tant qu'individu humilié : c'est le cas des jeunes des banlieues en France ou des quartiers ghettoïsés en Grande-Bretagne, ou des jeunes Palestiniens humiliés par Israël, mais aussi des jeunes éduqués du Moyen-Orient, souvent de formation scientifique, qui ne trouvent pas de travail ou qui se sentent écartés par des régimes autoritaires... Qu'ils soient des classes inférieures ou des classes moyennes, ces individus reprochent au système de les enfermer dans l'insignifiance, de les humilier en les marginalisant politiquement et économiquement ;

– en tant qu'individu victimisé : l'humiliation, la frustration, l'exclusion sociale et économique et le racisme sont vécus dans une structure imaginaire qui donne à l'individu l'impression mi-réelle mi-fictive d'être sans avenir, de faire face à des portes closes, bref, un sentiment de ghetto intériorisé. Ceux qui subissent passivement cette situation peuvent basculer dans la délinquance ou la violence individuelle, mais ceux qui s'insurgent et entendent agir le font en idéologisant leur expérience intérieure et en élargissant leur haine contre les « non-musulmans » par l'adoption d'une vision jihadiste, l'islam proposant une alternative activiste que les idéologies d'extrême gauche ne sont plus à même de fournir ;

– en tant que membre d'un groupe agressé, la « néo-*oumma* », qui n'a pas d'équivalent dans les communautés musulmanes historiquement constituées (la *oumma* musulmane), ce sentiment d'appartenance faisant surmonter à l'individu sa stigmatisation et le pourvoyant d'une identité nouvelle. *Born again* (« régénéré »), il voit s'inverser son statut vis-à-vis de la société dont il devient l'ennemi implacable : alors qu'il était de statut social inférieur – en tant qu'immigré ou fils d'immigré, en tant que Palestinien confiné dans des quartiers étouffants à Gaza, ou en tant qu'Égyptien vivant dans des quartiers malsains –, il devient le héros de l'islam qui se décline désormais comme « religion des opprimés ». Vis-à-vis du monde extérieur qu'il entend combattre, il assume le statut de « héros négatif » (voir plus bas) : plus il sera craint, détesté et rejeté par ce monde peint en noir, plus il en tirera gloire. Il est désormais héros pour ceux qui partagent son credo et ennemi public numéro un pour les autres. La dimension narcissique s'adjoint à la dimension « rationnelle » par le biais des médias et de sa propre expérience de « héros médiatique » : il sera connu du monde entier, il sera grandi et magnifié par les médias qui sont pourtant du côté de l'adversaire. Un Mohamed Merah porte une camera autour du cou pour filmer ses actes et les faire diffuser sur les chaînes de télévision dans le monde entier ; un Moussaoui fait un discours cruel de nature à insulter les familles des victimes du 11 septembre devant le tribunal en mai 2006, sachant pertinemment qu'en soulevant l'indignation des Américains et en noircissant son image, il augmente du même coup sa notoriété mondiale. Cette dimension de « star négative » est fondamentale dans la subjectivation de ceux qui se radicalisent de nos jours, en particulier les jihadistes, mais aussi quelqu'un comme Anders Breivik, le terroriste norvégien d'extrême droite auteur des tueries du 22 juillet 2011. Breivik a fait de la «publicité» autour de son idéologie en distribuant électroniquement, le jour même des attaques, un document où il prônait son «conservatisme culturel», son ultranationalisme, son islamophobie, son antiféminisme, son «nationalisme blanc» et son sionisme, s'opposant au multiculturalisme, à «l'Eurabia[9]» et aux musulmans qui devraient être expulsés d'Europe pour préserver la chrétienté. Il a envoyé son *Manifeste 2083* de 1 518 pages – rédigé en anglais et non en norvégien, pour être accessible au monde entier – à plus d'un millier de personnes, ainsi que de nombreux billets sur le site web document.no, l'ensemble allant dans le sens de l'information et de la séduction mondialisées. Pour lui, les attentats s'inscrivaient dans le cadre de la publicité autour de son projet pour une nouvelle Europe.

Ces trois dimensions s'inscrivent dans le contexte de la globalisation et les personnes radicalisées les ont parfaitement intériorisées. L'action et sa couverture médiatique mondiale sont désormais indissociables, la dimension symbolique d'information, mais aussi d'intimidation et de fascination, et la mise en condition de l'adversaire par le choc des images (éveillant le sentiment de la toute-puissance de l'acteur) allant de pair avec la brutalité de l'action : le sujet radicalisé agit autant pour faire des «dégâts» que du «bruit» pour la cause.

Par ailleurs, on se radicalise toujours en ressentant une injustice profonde à l'égard de soi-même et du groupe auquel on croit appartenir, et en croyant que l'attitude réformiste ne saurait y remédier. Tout sentiment d'une injustice

---

9. «Eurabia» désigne dans les fantasmes de l'extrême droite une Europe arabisée.

intolérable ne donne pas nécessairement naissance à la radicalisation, mais toute radicalisation le présuppose chez ses acteurs de base. Le sentiment d'injustice peut être lié à la vie quotidienne (répression des Tchétchènes par l'armée russe, des Palestiniens par l'armée israélienne, des Cachemiris par l'armée indienne, pour ne citer que quelques cas) et on assiste alors à une radicalisation de type nationaliste. Mais le sentiment d'injustice peut aussi s'étendre, à partir d'expériences vécues ou par procuration, à l'ensemble de la vision du monde de l'acteur en voie de radicalisation. De jeunes Français d'origine maghrébine en situation de marginalité sociale transposent l'expérience des Palestiniens face à l'armée israélienne à la leur dans les banlieues françaises lorsqu'ils s'affrontent aux forces de l'ordre. Ce déplacement imaginaire n'a pas nécessairement de substrat dans le réel (la police en France n'est pas l'armée israélienne en Palestine) mais se nourrit néanmoins par mimétisme et finit par s'étendre à l'ensemble des relations sociales et politiques de l'individu. Pour suivre l'exemple déjà cité, des jeunes de banlieues en France se radicalisent en pensant l'islam agressé par l'Occident, citant leurs propres relations avec les forces de l'ordre (les musulmans maltraités par la police, l'islamophobie) et s'appuyant sur les exemples bosniaque, afghan, irakien ou malien pour en déduire que la France opprime les musulmans du monde entier en collusion avec les États-Unis. Dès lors, ils se transforment en sauveurs de l'islam et optent pour le jihad à l'intérieur (Mohamed Merah) ou à l'extérieur (groupe de Farid Benyettou). Dans la radicalisation, l'imaginaire, la subjectivation, le mimétisme, la procuration subjective et le sentiment d'humiliation jouent un très grand rôle. Le jeune Français d'origine nord-africaine exclu se met dans la peau du Palestinien ou plus généralement de l'Arabe musulman humilié par Israël ou par l'Occident ; le jeune «Paki[10]» s'imagine Cachemiri opprimé par l'armée indienne; le jeune Tchétchène s'insurge contre l'oppression de l'armée russe ou, de manière encore plus éloignée du réel, il peut, par procuration, se radicaliser contre le pays d'accueil (les États-Unis pour les frères Tsarnaev auteurs de l'attentat de Boston par exemple) et se déclarer le héraut de l'islam dans la lutte acharnée et sans merci contre une «Amérique» oppressive.

La radicalisation revêt ainsi des dimensions imaginaires à partir d'images bricolées sur Internet ou vues à la télé, au gré des relations d'amitié proches (les «copains», *the buddies* pour les Américains) ou lointaines nouées sur la Toile ou en prison, au contact avec des individus déjà radicalisés ou révoltés d'avoir été injustement traités en raison de leur appartenance religieuse (l'islam) ou ethnique (Arabe, Noir, «Gris»…).

Sur le plan anthropologique, la radicalisation a une dimension indéniablement politique mais qui s'exprime de manière infra ou supra-politique (Wieviorka 1988). Infra-politique: en lui surimposant une dimension affective et en agissant par la violence, l'individu radicalisé exprime sa rancœur et sa volonté de changement plutôt que de lui chercher des solutions susceptibles d'une traduction politique. La violence peut effectivement déboucher sur des solutions, mais elle exacerbe souvent les tensions et a un effet contre-productif, radicalisant l'adversaire au lieu de l'amener à négocier. La dimension supra-politique réside dans le fait qu'une utopie échevelée peut inciter à la radicalisation (chez les jihadistes l'utopie du néo-califat universel s'imposant à toutes les sociétés islamiques et par-delà, au monde, est méta-politique et elle est aussi irréalisable qu'une société sans classes).

---

10. Anglais d'origine pakistanaise vivant dans les quartiers pauvres des grandes villes anglaises.

Le politique est ainsi malmené dans la logique même de la radicalisation, surtout lorsque cette dernière vise une utopie supra-nationale ou transnationale. Robert Pape (2006) indique que l'écrasante majorité des attentats-suicides est due à la présence d'une armée étrangère sur le territoire national et non à des motifs religieux. De fait, mon point de vue consiste à introduire la différence entre deux types d'utopie. Le premier type est limité, portant souvent sur des griefs précis et des revendications « réalistes ». Le nationalisme ou sa version islamo-nationaliste en sont le modèle le plus répandu. L'idéal poursuivi est concret, à savoir la constitution d'une nation. C'est le cas palestinien, mais aussi cachemiri, tchétchène… Si cette utopie rencontre des obstacles au point que les acteurs en viennent à désespérer de sa réalisation, on aboutit à une autre sorte d'utopie, que j'appelle « échevelée » et qui est la radicalisation du premier type. Mais ce second modèle peut tout aussi bien exister indépendamment du premier, sans être nécessairement la conséquence de sa radicalisation. Dans le premier cas, l'hypothèse de Robert Pape est valide : lorsqu'une armée étrangère s'installe pour une plus ou moins longue période sur un territoire, l'un des moyens de lutter contre elle en cas de disproportion flagrante des forces consiste à monter des opérations-suicides. Mais lorsque l'utopie est échevelée – comme la lutte contre l'impérialisme de manière globale, ou encore l'instauration d'une société sans classes dans le monde, ou le néo-califat prôné par al-Qaida et les groupes qui s'en inspirent –, sa réalisation n'est pas envisageable dans un avenir prévisible. En Europe, le choix de l'islamisme radical et les quelques tentatives d'attentats-suicides n'ont rien à voir avec une présence armée dans le pays de naissance de leurs auteurs, qui sont pour la plupart des terroristes maison. Ces derniers cumulent un double grief : humiliation chez eux (en

Europe) et agression des pays musulmans à l'extérieur, selon un modèle où la construction imaginaire est d'une importance capitale. La radicalisation est de nature différente dans le cas de l'utopie limitée et dans celui de l'utopie échevelée.

Dans la radicalisation, les deux couples de sentiments les plus répandus sont l'humiliation subie et le désespoir d'un côté, la volonté d'infliger une humiliation encore plus profonde à l'adversaire et la conviction de pouvoir réaliser l'utopie à partir d'une «théologie de la folle espérance» qui justifie la vision irénique d'un avenir indéterminé dans le temps, de l'autre. Le désespoir et l'humiliation peuvent dicter des conduites violentes (la radicalisation) sans être nécessairement accompagnés de la théologie de la folle espérance, mais la volonté d'infliger une humiliation plus profonde à l'adversaire est omniprésente dans la radicalisation sous toutes ses formes. Dans l'islamisme radical, l'idée qu'avec de la patience couplée à l'action jihadiste Dieu interviendra pour instaurer une théocratie universelle fondée sur l'islam anime les acteurs radicalisés. L'aspiration à infliger une humiliation encore plus grande à un Occident arrogant et, par-delà, à un monde hostile aux idéaux que l'on professe est l'autre facette de cette idéologie. Celle-ci est à la fois intra-mondaine (humilier, rabaisser, lutter férocement contre l'ennemi ici et maintenant) et extra-mondaine (attendre l'intervention divine pour annihiler l'ennemi plus puissant).

– Histoire de la radicalisation –

Les « Assassins », première tentative de radicalisation

On distingue plusieurs périodes dans la radicalisation telle que nous l'entendons, c'est-à-dire appliquée à des groupes restreints. Pour certains, le groupe des « Assassins », au xıᵉ siècle, incarne la première tentative systématique de radicalisation dans le monde pré-moderne. À la tête du petit État qui avait son centre dans la forteresse d'Alamout en Iran, à une centaine de kilomètres de l'actuelle capitale Téhéran, Hassan Sabbah avait fondé un groupe sectaire composé de fidèles prêts à se sacrifier sur son ordre en assassinant les personnes qu'il désignait. Cette société secrète qui se réclamait de l'ismaélisme, branche minoritaire du chiisme, fut d'une redoutable efficacité contre les adversaires politiques de Sabbah, notamment le grand ministre seljoukide Nizam al-Mulk, mis à mort en 1092. L'endoctrinement qui y avait lieu et le cumul d'une idéologie radicale et sectaire et de l'action violente relèvent d'une mise en pratique du « terrorisme » au sens où on l'entend de nos jours. Selon la légende, Sabbah utilisait du haschich pour envoûter ses disciples et leur donner un avant-goût des plaisirs du paradis dans le jardin aménagé au sein de la forteresse d'Alamout où il résidait.

Le terrorisme anarchiste au XIXe et au début du XXe siècle

Dans le monde moderne, les premières tentatives de violence sporadique furent celles du nouveau mouvement ouvrier à la fin du XVIIIe siècle en Europe, avant qu'il ne se dote d'une organisation et ne construise un projet alternatif de société, parrainé par les communistes utopiques, ainsi que Marx et Engels. Par la violence sporadique, les artisans s'en prenaient aux machines qui les dépossédaient de leur travail traditionnel, ou encore aux forces de l'ordre qui leur déniaient la possibilité de se constituer en groupes organisés. Les premiers syndicats sont souvent nés sous la menace de la police mais aussi des milices patronales. Dans des pays comme la Russie tsariste, où le pouvoir luttait fréquemment contre un double front, ses propres partisans réactionnaires et le monde intellectuel et ouvrier en gestation, des groupes d'intellectuels radicaux se sont constitués qui ont eu une influence indéniable sur la radicalisation de larges pans de la société, notamment les groupes en voie de modernisation (les intellectuels, le noyau dur des classes moyennes, les scientifiques, etc.). On peut citer les nihilistes, les décembristes, et de nombreux «intellectuels en roue libre» (*free-floating intellectuals*) qui se sont identifiés à l'opposition à l'autocratie, se faisant les partisans de la nouvelle classe ouvrière en train d'apparaître en Russie et prônant la révolution prolétarienne en légitimant la violence «populaire» contre l'autoritarisme du pouvoir et la permanence du servage (il n'a été supprimé partiellement qu'en 1861). L'insurrection décembriste de 1825 échoua et fut suivie de la répression des meneurs. La brutalité de la répression a entraîné une radicalisation chez de nouveaux groupes rejetant l'idée d'une possible réforme interne du régime autocratique russe, notamment le groupe «Volonté du Peuple» (Narodnaïa Volia), organisation anarchiste russe qui s'est développée dans le dernier quart du XIXᵉ siècle et dont l'acte le plus marquant a été l'assassinat de l'empereur Alexandre II en mars 1881.

L'anarchisme devient, au XIXᵉ siècle, le porteur de la violence révolutionnaire contre le capitalisme, les pouvoirs qui le soutiennent et les autocraties archaïques en Europe. L'action violente fondée sur une vision idéologique qui rejette le légalisme se donne à voir dans ce que les anarchistes appellent «la propagande par le fait», qui s'articule à la propagande écrite ou orale et remet en cause les mécanismes légaux, en promouvant la «révolte permanente» comme seule voie menant à la révolution. Il est vrai que l'échec de la révolution de 1848 un peu partout en Europe et en Amérique latine et sa répression par les autoritarismes en place, de même que celui de la Commune en 1871, aboutissant à l'exécution de 30 000 communards par l'armée, ont désespéré une grande partie des intellectuels et des activistes qui espéraient une transition paisible et légale vers le socialisme. La radicalisation des groupes anarchistes se concrétise par la constitution de groupes fermés où règne une dictature du collectif. Ainsi, on pouvait entrer dans le groupe Narodnaïa Volia, mais il était interdit d'en sortir sous peine d'élimination physique. De même, «tout membre du Comité [le comité exécutif de Narodnaïa Volia] s'engageait solennellement à consacrer ses forces à la révolution, à oublier pour elle tous les liens du sang, les sympathies personnelles, l'amour et l'amitié; à donner sa vie sans rien ménager; à n'avoir rien qui lui appartînt en propre; à renoncer à sa volonté individuelle» (Cannac 1961 : 149). On est proche de l'engagement des membres de la secte d'Hassan Sabbah, à la différence que les uns pensaient aller au paradis en tuant ou en intimidant celui qui leur était désigné par le Grand Guide (*da'i*), alors que les autres exécutaient les ordres du Comité au nom du peuple en chaînes.

Dans un cas le sacré est religieux, dans l'autre laïque, mais tous deux procèdent de l'intouchable, de l'indiscutable. «La propagande par le fait» introduite par les anarchistes russes au XIXe siècle incluait notamment des actes terroristes, des expéditions punitives, du sabotage, des actes de guérilla ainsi que d'autres types d'action violente (Vareilles 2005).

De nombreux assassinats ont été organisés par les anarchistes au tournant du XIXe et du XXe siècle, dont plusieurs couronnés de succès. Citons entre autres celui du président français Sadi Carnot le 24 juin 1894, celui du président du Conseil espagnol Antonio Cánovas del Castillo en août 1897 en représailles contre la torture et l'exécution des anarchistes à Barcelone, celui de l'impératrice d'Autriche le 10 septembre 1898, du roi d'Italie Humbert Ier le 29 juillet 1900, du président américain William McKinley le 14 septembre 1901, de Marius Plateau, un des membres fondateurs de l'Action française, le 22 janvier 1923. Des tentatives d'assassinat contre l'empereur Guillaume Ier d'Allemagne, Georges Clémenceau en France et Benito Mussolini en Italie échouèrent.

Dans l'ensemble, le mouvement anarchiste s'en prenait aux autorités gouvernementales, non seulement pour impressionner l'opinion publique, mais aussi pour venger la répression de ses membres ou mobiliser la classe ouvrière contre la bourgeoisie. Les révolutionnaires exécutant les attentats appartenaient à plusieurs pays européens, réalisant l'internationale des acteurs violents avant l'union politique de l'Europe. Le mouvement anarchiste ressemble en plusieurs points à celui d'al-Qaida, par son caractère transnational comme par la globalité de ses visées – griefs globaux contre le monde occidental, refus de la légalité en vigueur, légitimation idéologique de la violence – et dans le dévouement de ses membres à la cause jusqu'à la mort: les frontières nationales ne sont plus une barrière, l'action peut se dérouler en Russie, en France, aux États-Unis, en Italie ou dans d'autres pays, l'Asie n'étant pas touchée et l'Amérique latine étant peu affectée.

La violence anarchiste faisait pendant à la violence d'un ordre mondial où les classes populaires étaient réduites à la misère et où la répression par les pouvoirs en place était extrêmement rude[11]. Aujourd'hui, al-Qaida et les groupes jihadistes antagoniques invoquent le sort des musulmans et en particulier des sunnites réprimés selon eux par les chiites avec la complicité des Croisés occidentaux, ou encore la question palestinienne et la répression israélienne. Un contexte de violence est à l'origine des actions de type terroriste, surtout lorsqu'une idéologie radicale sous-tend le combat de ceux qui sont militairement plus faibles et usent de ce moyen pour compenser leur infériorité. La radicalisation est la conséquence de la perception de la violence et de son interprétation selon des axes idéologiques, qui poussent l'acteur à s'engager dans l'action violente.

L'extrême gauche violente des années 1970-1980 :
les Brigades rouges, la Fraction armée rouge et Action directe

Après les anarchistes à la fin du XIXe siècle et au début du XXe, un nouveau type de violence sur la base d'une radicalisation marquée par des idéologies d'extrême gauche émerge en Europe et aux États-Unis dans les années 1970-1990, dites «les années de plomb». En Europe, trois pays principalement sont victimes de ce type de violence : la France avec le

---

11. En France, Adolphe Thiers ordonne le massacre de 30 000 communards en 1871 ; aux États-Unis, à Chicago, en représailles à l'explosion d'une bombe, la police ouvre le feu sur un rassemblement ouvrier et tue une trentaine d'entre eux le 4 mai 1886 (massacre de Haymarket).

mouvement Action directe, l'Italie avec les Brigades rouges (Brigate rosse) et l'Allemagne avec la Fraction armée rouge (Rote Armee Fraktion, RAF). Aux États-Unis, des groupes radicaux tels que les Weathermen ou l'Armée de libération symbionaise (SLA) montent des attentats contre différentes cibles, renouvelant les pratiques des anarchistes violents de la fin du XIXe siècle. Ces mouvements surgissent en réaction à une conjoncture sociopolitique complexe, qui voit d'une part l'installation de dictatures de droite et d'extrême droite, notamment en Amérique latine (le coup d'État militaire d'Augusto Pinochet en septembre 1973 met fin à l'expérience démocratique de Salvador Allende, et les dictatures collaborent au sein de l'opération Condor pour poursuivre et liquider les opposants, menant une « guerre sale » pour faire disparaître jusqu'à leur corps) et dans les pays africains (au Nigeria avec la dictature du général Abacha à la fin des années 1990, en Guinée avec le règne de Sékou Touré, au Maroc avec le durcissement du régime de Hassan II…) ; d'autre part, la fin de la vocation révolutionnaire des partis se réclamant de la classe ouvrière, et choisissant la voie électorale (notamment les partis communistes en France et en Italie après la seconde guerre mondiale), et le sentiment d'abandon d'une partie de la gauche révolutionnaire. En France, malgré Mai 68 qui a vu l'éclosion d'utopies échevelées, les élections ont confirmé la droite au pouvoir. En Italie, le parti communiste, fort de sa stature électorale, renonce à la voie révolutionnaire et choisit clairement les urnes contre l'action des armes.

Le mouvement italien des Brigades rouges est le plus important en nombre de personnes (plus d'un millier) et en nombre d'organisations révolutionnaires impliquées. Son action culmine avec l'enlèvement d'Aldo Moro en 1978 : après sa captivité durant 55 jours et devant le refus du gouvernement de négocier, l'ancien chef du gouvernement italien est exécuté. Le groupe est fondé par Alberto Franceschini et Renato Curcio en octobre 1970 et entend reprendre la lutte armée de la gauche communiste à laquelle le PC a renoncé à la fin de la seconde guerre mondiale. Ses partisans entament ce qu'ils appellent la «propagande armée» ou la «lutte armée», usant d'actions violentes comme l'assassinat, le tir de balles aux jambes des personnes visées et la séquestration des agents de l'État (police, magistrats), mais aussi des journalistes, des hommes politiques... Ils assassinent aussi des syndicalistes, comme Guido Rossa en janvier 1979, qui avait dénoncé un ouvrier distribuant leurs tracts. Le mouvement se divise à partir de 1981 en plusieurs sous-groupes, dont l'un rejoint en 1988 la Fraction armée rouge de la République fédérale d'Allemagne. Durant les années 1980, la plupart des brigadistes de la première génération abandonnent la lutte armée. Une seconde génération apparaît et commet des actions violentes, notamment le meurtre en mars 2002 d'un consultant du gouvernement italien, à la suite duquel 5 membres des Brigades rouges sont condamnés à perpétuité en 2005. En février 2007, 15 présumés terroristes sont arrêtés alors qu'ils préparaient, selon la police, des attentats; le groupe est composé de jeunes recrues mais aussi de vétérans. En juin 2009, 6 personnes suspectées d'appartenir aux Nouvelles Brigades rouges sont arrêtées et accusées de préparer des attentats contre le sommet du G8 en Italie. Sous la présidence de Mitterand, la France, étant donné la sympathie de ses intellectuels, avait accepté de ne pas extrader les quelque 300 membres réfugiés sur son territoire à condition qu'ils acceptent de ne pas projeter d'actions violentes, à l'exception toutefois de ceux qui avaient commis des crimes de sang (Laske 2012). En 1981, 1 523 personnes accusées de terrorisme, proches des Brigades rouges, étaient incarcérées en Italie. Par ailleurs, l'Union soviétique avait apporté son soutien logistique au mouvement, certains de ses membres ayant séjourné clandestinement en Tchécoslovaquie. Selon certains, les Brigades rouges auraient aussi été infiltrées par la CIA, voire par les services secrets italiens.

La radicalisation des membres des Brigades rouges obéit d'abord à la logique de la situation italienne, où des individus, surtout issus des classes moyennes, se déclarent représentants de la classe ouvrière et prétendent mener par les armes la lutte des classes à laquelle a renoncé le Parti communiste italien, devenu une force électorale du pays. Cette conviction «auto-proclamée» de représenter un groupe sacralisé se retrouve dans les mouvements jihadistes actuels: leurs membres se disent défenseurs authentiques de l'islam, qui serait bafoué par les oulémas traditionnels et par les gouvernements dits «islamiques» (l'Arabie saoudite), ainsi que par les autres pouvoirs du monde musulman, accusés d'être à la solde de l'idolâtrie mondiale (*taqut*) alias l'impérialisme des Croisés ou du sionisme. La radicalisation s'effectue d'autant plus aisément que ce sentiment d'être les véritables représentants d'un ordre sacré (la classe ouvrière, l'islam, l'Occident) est profondément ancré dans l'esprit des membres du groupe et légitimé par l'idéologie radicale qui induit l'action violente. Avec le temps, l'organisation doit évoluer pour parvenir à transmettre à la jeunesse le message de lutte et poursuivre l'action en embrigadant de nouveaux membres, de même que les organisations jihadistes comme al-Qaida comblent le fossé des générations avec un argumentaire dont le lexique ne change guère mais dont la grammaire s'ajuste à la nouvelle situation (les rapports entre les chefs et les membres, entre différents groupes se réclamant de la même idéologie, l'adaptation au changement du contexte politique et international, etc.).

À partir des années 1990, le mouvement des Brigades rouges montre des signes d'essoufflement, d'une part en raison de l'arrestation des membres du groupe, de l'autre à cause de la perte de légitimité de l'action violente dans l'espace politique italien.

Action directe est un groupe anarchiste qui doit son nom à la théorie anarchiste du même nom. Les membres de ce groupe – estimés à 180 environ – ont revendiqué plus de 80 actions violentes en France de 1979 à 1987, faisant une douzaine de morts et 26 blessés (Dartnell 1995). Interdit par l'État français en 1982, ce mouvement est depuis considéré comme une organisation terroriste. Ses derniers membres, arrêtés et jugés en 1987, ont été condamnés pour les assassinats du général René Audran, du PDG de Renault Georges Besse, de ceux d'autres cadres dirigeants de l'armée, de membres éminents du patronat français, et pour de multiples attentats, notamment ceux commis dans les locaux d'Interpol et de l'Union de l'Europe occidentale. Le mouvement est divisé en tendances anarchiste et marxiste-léniniste, la première tendance se rapprochant de la Fraction armée rouge allemande. Il se transforme en 1979 en une organisation de guérilla qui revendique ses attaques contre le capitalisme impérialiste, l'État et le grand patronat, et se procure des armes et des explosifs par vols et braquages. Après l'élection de Mitterand en 1981, l'organisation se scinde en deux groupes : l'un abandonne la lutte révolutionnaire tout en commettant des attentats antisémites, l'autre branche s'affiliant à la Fraction armée rouge, à partir de 1985, pour unifier la lutte révolutionnaire en Europe (Savoie 2011). De 1982 à 1987, Action directe commet plusieurs attentats qui ont pour cibles des policiers, des grands patrons, des militaires de haut niveau… Les dirigeants d'Action directe sont arrêtés dans les années 1980 et condamnés à de lourdes peines.

La Fraction armée rouge (Rote Armee Fraktion, RAF),
appelée aussi Baader-Meinhof Gruppe en référence à ses
leaders Andreas Baader et Ulrike Meinhof, est une organisation d'extrême gauche allemande de guérilla urbaine
qui a opéré en Allemagne de l'Ouest de 1970 à 1998, commettant des attentats, des enlèvements et des assassinats.
Elle procède de la radicalisation du mouvement étudiant
allemand qui, à la fin des années 1960, s'oppose à l'arrivée
du chah d'Iran en Allemagne en mai 1967, dénonce l'impérialisme américain, la guerre du Vietnam, l'assassinat de
Che Guevara en 1967 en Bolivie…, tandis que, sur le plan
intérieur, la gauche radicale se trouve impuissante face à la
coalition des grands partis de droite (CDU, CSU) avec le
parti socialiste allemand (SPD) en décembre 1966. En juin
1970, la publication du texte « Bâtir l'armée rouge » dans la
revue *Agit 883* est la déclaration officielle de la fondation
de la RAF, qui se donne pour but de « favoriser la lutte des
classes, organiser le prolétariat, commencer la résistance
armée, construire l'Armée rouge ». Plusieurs membres du
groupe séjournent dans un camp du Fatah en Jordanie pour
apprendre à manier les armes et les explosifs. Pour subve-
nir à ses besoins financiers, l'organisation recourt au vol à
main armée et au braquage, tout comme Action directe et
les Brigades rouges. Des affrontements avec la police qui
cherchait à arrêter la cinquantaine de membres du groupe
provoquent la mort de deux policiers et d'un passant. Les
attentats à la bombe contre les installations militaires américaines et les institutions publiques allemandes en 1972
font 4 morts et une trentaine de blessés (Steiner & Debray
2006). Les principaux leaders de la première génération de
la RAF sont arrêtés en juin 1972 et mis en prison dans des
conditions inhumaines d'isolement ; plusieurs d'entre eux
meurent entre 1976 et 1977, dans des circonstances louches.

En avril 1977, ceux qui restent sont condamnés à la prison à perpétuité. Suit une seconde génération dont les membres sont issus du Collectif socialiste des patients de Heidelberg fondé en février 1970 par des patients en psychiatrie de la polyclinique de Heidelberg, ou recrutés par les avocats des procès de la première génération. On peut parler d'une troisième génération de moins d'une dizaine de personnes actives. Entre sa création en 1970 et sa dissolution en 1989, le mouvement a compté entre 60 et 80 membres actifs, leur action se soldant par l'assassinat de 34 personnes.

Les trois grands groupes terroristes d'extrême gauche européens se caractérisent par leur durée de vie qui oscille entre deux et trois décennies, par le nombre relativement limité de leurs adhérents (moins d'une centaine pour Action directe et la Fraction armée rouge, autour d'un millier pour les Brigades rouges) et par le recrutement national de leurs membres (même si des alliances ont été tentées, par exemple entre Action directe et la RAF, leur impact a été somme toute marginal). Internationalistes dans leur inspiration (anti-impérialisme, anti-capitalisme), ces groupes ont eu une action nationale. Leur volonté d'action radicale n'a pu se transmettre au-delà de deux ou trois générations. Dans l'ensemble, la chute du mur de Berlin a sonné le glas de ces groupes, qui ont été contraints de mettre fin à leurs activités autant à cause de la répression policière qu'en raison de leur propre épuisement et de leur incapacité à assurer la formation de nouvelles générations. Tel n'est pas le cas du jihadisme, qui perdure depuis les années 1980 sans montrer de signe d'épuisement, tout au plus de mutation.

Les différentes périodes d'al-Qaida et le renouveau du jihadisme avec les révolutions arabes

En comparaison, al-Qaida est le couronnement du terrorisme transnational sur la base d'une radicalisation qui s'est perpétuée durant plusieurs générations depuis les années 1980. L'organisation est devenue le prête-nom d'un grand nombre de groupes qui se réclament de ses idéaux, de ses visées politiques et de son style de lutte, selon une filiation plus ou moins symbolique. Al-Qaida a traversé plusieurs périodes distinctes : celle de la légitimité relative aux yeux de l'Occident dans la lutte contre l'Union soviétique en Afghanistan (jusqu'en 1989) ; la période de lutte contre l'Occident qui culmine avec les attentats du 11 septembre 2001 ; et enfin, depuis son affaiblissement par la répression américaine et l'élimination d'une grande partie de ses cadres dirigeants, une période marquée par la création de nombreux groupuscules qui affirment poursuivre sa lutte en s'en inspirant, s'en réclament et mettent en œuvre de nouvelles structures où se côtoient des groupes autosuffisants, autonomes financièrement et sur le plan organisationnel, de dimensions de plus en plus restreintes et à la gestion toujours plus décentralisée, utilisant Internet et mettant leur vision d'un futur État islamique universel (le néo-califat) au service d'une pluralité de groupuscules sans lien organique les uns avec les autres. Si quelques-uns peuvent s'associer sur le terrain, comme ceux qui se sont plus ou moins unifiés en Afrique du Nord ou entre la Syrie et l'Irak, par exemple État islamique de l'Irak et de Sham (ISIS), une flexibilité accrue des groupes qui se métamorphosent pour échapper à la répression internationale et attirer des adhérents et des sympathisants, notamment par Internet, marque cette mutation. Les groupes jihadistes dont al-Qaida devient le symbole parviennent, malgré les nombreux obstacles qui se dressent sur leur chemin, à radicaliser de nouvelles générations, autant dans les quartiers d'exclusion en Europe que parmi les nouvelles générations des classes moyennes modernisées au Moyen-Orient.

Avec les révolutions arabes (Ben Ali s'enfuit en Arabie saoudite le 14 janvier 2011, Moubarak démissionne 18 jours après la révolution qui débute le 25 janvier 2011), un nouveau chapitre s'ouvre dans le jihadisme et de nouvelles formes de radicalisation voient le jour.

Dans un premier temps, on assiste à une crise du jihadisme comme mouvement social : les jihadistes, avec leur vision guerrière et leur violence incessante, n'ont pas réussi à renverser un seul régime arabe alors qu'à mains nues, des révolutionnaires pacifiques sont parvenus à mettre à bas deux des régimes les plus despotiques du monde arabe. La crise des vocations s'est jointe à une crise idéologique et a mis les cercles jihadistes sur la défensive. Néanmoins, ces révolutions ont aussi été l'occasion pour de nombreux islamistes radicaux de sortir de prison en bénéficiant de l'amnistie ou de la période d'incertitude ou d'absence du pouvoir central quand les portes des prisons se sont entrouvertes.

La période euphorique des révolutions arabes n'a duré que quelques mois. La situation économique s'est détériorée en Égypte et en Tunisie, les deux pays dépendant du tourisme qui craint l'instabilité politique ; cela a diminué les ressources économiques des catégories sociales les plus fragiles. Les Frères musulmans en Égypte et Ennahdha en Tunisie, qui ont pris légalement le pouvoir en 2012, ont eu au début une attitude laxiste vis-à-vis des jihadistes, pensant pouvoir les convaincre d'épouser une conduite non-violente. C'est ainsi que les islamistes radicaux ont pu s'enraciner dans le Sinaï pendant cette période, de même qu'en Tunisie les salafistes jihadistes ont réussi à se constituer de solides appuis dans les quartiers pauvres des alentours de Tunis et dans les zones sous-développées comme Sidi Bouzid, d'où est partie la révolution avec le suicide de Mohamed Bouazizi en décembre 2010. L'organisation jihadiste la plus importante, Ansar al-Charia, dirigée par Abou Ayad (condamné sous Ben Ali à une très longue peine de prison et amnistié après la révolution), a su ainsi gagner du terrain. Elle a été accusée d'avoir pris part à l'attaque de l'ambassade des États-Unis à Tunis en septembre 2012 et d'avoir participé au meurtre de deux dirigeants politiques, Chokri Belaïd en février et Mohamed Brahmi en juillet 2013.

Par ailleurs, la situation de la Libye comme «État défaillant» à la suite du renversement du régime de Kadhafi en octobre 2011 s'est détériorée et une grande partie de son arsenal est tombée aux mains des seigneurs de la guerre qui ont pu vendre des armes aux différents groupes, dont les jihadistes en Afrique noire (le Mali compris), mais aussi au Moyen-Orient. Le Yémen a vu aussi le développement des groupes jihadistes avec la stratégie du président Saleh, qui les a aidés de manière plus ou moins détournée afin de s'assurer le soutien des États-Unis dans la lutte anti-terroriste. Son départ en février 2012 n'a pas profondément changé la situation des islamistes radicaux dans les zones où l'État central est faible. Mais le lieu qui attire le plus les jihadistes et qui bénéficie d'une légitimation doctrinale de l'islam radical est incontestablement la Syrie. Le régime de Bachar el-Assad est alaouite, doublement déviant, tant aux yeux de nombreux chiites pour qui l'alaouisme est une déviation, que pour les sunnites radicaux qui considèrent le chiisme en totalité comme une hérésie, ses tenants méritant la peine de mort. Le régime d'Assad étant en guerre contre une société en grande majorité sunnite, les jihadistes ont trouvé l'occasion en or de lancer la guerre sainte contre lui, au nom de leur version radicale de l'islam. La participation à ce jihad est déclarée « devoir impérieux » (*fardh al ayn*) pour tout musulman. De presque partout – Europe, Moyen-Orient, Afrique du Nord, États-Unis, Pakistan –, des jeunes viennent lutter contre le régime impie des alaouites (on estime leur nombre à environ 10 000, dont quelques centaines de chaque pays européen et un millier de Tunisiens. Voir Bakker, Paulussen & Entenmann 2013). Cette jeunesse se radicalise cette fois sur une base « objective » : un pays musulman souffre, aux prises avec un régime sanguinaire qui se réclame d'une fausse religion (l'alaouisme) et dont les tenants mettent à mort des sunnites, représentants de l'islam authentique. En Tunisie, Ansar al-Charia a ainsi pu embrigader plusieurs centaines de jeunes qui ont accepté d'aller lutter contre le *taqut* (l'idolâtrie mondiale incarnée par des régimes complices de l'Occident) et de mourir pour la cause sacrée de l'islam. En Syrie, l'Occident et l'Orient s'unissent dans le jihadisme : pratiquement tous les pays de l'Europe de l'Ouest ont vu partir des candidats – d'origine musulmane ou convertis – vers le théâtre de guerre syrien, au même titre que les pays musulmans. L'ardeur au jihad témoigne d'un état d'esprit tourné vers la défense de la « communauté musulmane », par-delà les frontières nationales.

En résumé, les révolutions arabes sont à l'origine du renouveau du jihadisme. En Syrie, au Yémen ou en Libye, les jihadistes ont profité de la défaillance de l'État (parfois du fait de l'intervention occidentale, comme en Libye où l'aviation de l'OTAN a joué un rôle indéniable dans le renversement du régime autocratique de Kadhafi) pour se développer dans le vide ainsi créé. De même, leur implantation en Tunisie à la lisière de la frontière algérienne, dans les quartiers pauvres de Tunis et dans le centre et le sud sous-développés du pays, ainsi qu'en Égypte dans le désert du Sinaï, a été favorisée par l'attitude conciliante d'Ennahdha en Tunisie et des Frères musulmans en Égypte (jusqu'en fin juin 2013) vis-à-vis des salafistes jihadistes qu'il s'agissait de convaincre de rejoindre les forces islamistes légalistes. Une fois enracinés dans ces régions, les groupes jihadistes tentent de radicaliser une frange de la population locale, souvent des laissés-pour-compte (des « déshérités », *mustadh'afun*), dont une partie, notamment en Tunisie ou en Égypte, se retrouve par la suite en Syrie et, plus tard, en Europe, promouvant un nouveau type de terrorisme.

– La radicalisation islamiste
dans le monde musulman –

Grosso modo, dans le monde musulman, la radicalisation a été la conséquence du cumul de l'humiliation arabe et musulmane et de la permanence des autocraties. La guerre des Six Jours en 1967 et l'échec des pays arabes face à Israël, le sentiment d'un monde occidental hostile au monde arabe et, surtout, la permanence de gouvernements arabes prévaricateurs et autoritaires qui brisent l'aspiration à une vraie citoyenneté (pluralisme politique, économie plus méritocratique) de générations plus éduquées et moins intimidées par le spectacle de la répression, tous ces faits ont favorisé la radicalisation dans les nouvelles générations. À cela s'est ajoutée dans les années 1980 la disparition de l'État-providence instauré par les nationalistes arabes, qui assuraient l'emploi aux nouvelles générations en contrepartie de leur acquiescement à l'autoritarisme : la période de « libéralisation » dite *Infitah* a vu la plupart des soutiens économiques et sociaux prodigués par le gouvernement disparaître progressivement. Enfin l'Arabie saoudite, première puissance pétrolière de la région, a progressivement imposé sa version wahhabiste, puritaine et rigoriste de l'islam, qui partage avec le radicalisme islamiste plus d'un trait intolérant.

L'islamisme radical au Moyen-Orient est un phénomène très lié au désespoir des nouvelles générations mieux éduquées que par le passé et réduites à vivre le monde schizoïde de ceux qui ont des conditions économiques de classes inférieures (chômage, hittisme[12], trabendisme[13]) et une culture et une éducation de classes moyennes. Ces nouvelles générations ont vécu l'échec du nationalisme arabe à partir de la guerre des Six Jours en 1967, jusqu'à la première décennie du XXIe siècle.

L'islam radical a inauguré une nouvelle ère dans la radicalisation. Par rapport aux mouvements terroristes qui l'ont précédé (anarchistes russes au XIXe siècle, Brigades rouges, Action directe et Fraction armée rouge dans les années 1970 et 1980 en Europe), le phénomène est beaucoup plus intense : on se sacrifie bien plus aisément et en nombre plus élevé. Il est beaucoup plus étendu géographiquement : hormis sur le continent latino-américain, relativement préservé, on relève un peu partout des cas de jihadisme autochtone ou importé. Il est numériquement plus important : le nombre des jihadistes affiliés à al-Qaida ou à des organisations similaires, ou des groupes se réclamant plus ou moins réellement de celles-ci, est beaucoup plus élevé que celui des membres d'autres mouvances terroristes par le passé. Il s'étale aussi sur une durée beaucoup plus longue puisque depuis les années 1970 et même, selon certains, depuis la fondation des Frères musulmans en 1928, l'islamisme radical s'est développé et ne montre pas de signe de régression sensible. Par ailleurs, la violence « aveugle » mise en œuvre ne procède pas du même registre que la violence ciblée sur des catégories spécifiques

---

12. Néologisme algérien signifiant rester des heures entières à ne rien faire, adossé à un mur, formant des groupes qui passent ainsi une partie de la nuit.
13. Expression signifiant commerce illégal en Algérie, mais qui s'applique aussi parfaitement aux banlieues en France.

(haute administration, patronat, armée) des mouvements précédents. Enfin, le trait saillant du jihadisme est sa flexibilité et sa capacité à s'adapter à des situations extrêmes en se restructurant. Al-Qaida et les mouvements jihadistes sont le premier type vraiment global et transnational de terrorisme qui se perpétue dans le temps, se transforme face à la répression internationale et nationale des pays concernés, et continue sa lutte sous de multiple formes, les faisant varier au gré des circonstances et en en construisant constamment de nouvelles.

On peut distinguer trois types d'acteurs radicalisés en connexion avec le phénomène islamiste :

– l'acteur provenant de pays à majorité musulmane (le Moyen-Orient, le Pakistan, l'Indonésie), dont les griefs se sont amplifiés, de la contestation du régime politique en place à la volonté d'instaurer un régime islamique transnational (le néo-califat) ;

– l'acteur provenant de pays (Europe de l'Ouest, États-Unis, Canada ou Australie) où, dans le dernier demi-siècle, des minorités musulmanes se sont implantées. Il entend lutter de manière violente contre l'islamophobie, l'agression des pays musulmans par ces États (les États-Unis, la Grande-Bretagne, la France…), et il est aussi mû par la volonté d'étendre le règne de l'islam (le néo-califat qu'il appelle de ses vœux) à l'ensemble du monde, y compris l'Occident ;

– l'acteur provenant de pays où des musulmans mènent une lutte nationale contre des puissances qu'ils perçoivent comme des pouvoirs ou des armées d'occupation : la répression des Palestiniens par l'armée israélienne, le conflit autour de Jérusalem et de la colonisation, le soutien occidental à Israël, le conflit contre l'Inde qui occupe une partie du Cachemire dont les musulmans voudraient soit l'indépendance soit l'annexion au Pakistan, enfin la répression russe contre les Tchétchènes sont autant d'éléments d'un conflit nationaliste au nom de l'islam qui donne un sens sacré à la lutte contre la puissance d'occupation.

Contrairement à la situation dans le monde musulman, en Europe ce sont surtout les jeunes des couches sociales inférieures qui forment le noyau dur du jihadisme. Même si par mimétisme quelques membres des classes moyennes adhèrent à cette vision, la grande majorité des radicalisés se recrute dans les quartiers dits « difficiles » ou parmi les jeunes des classes populaires, souvent d'origine immigrée (deuxième ou troisième génération issue de l'immigration provenant des pays musulmans, les « Pakis » en Grande-Bretagne et en France ceux que l'on appelle les « Arabes », c'est-à-dire les jeunes d'origine nord-africaine nés en France), quelquefois les convertis.

La radicalisation dans ces deux mondes n'obéit pas à la même logique, d'autant plus que dans la plupart des pays musulmans sévit un autoritarisme mâtiné de corruption tandis qu'en Europe, le système politique démocratique limite l'étendue des passe-droits et leurs effets dévastateurs sur le sentiment de dignité du citoyen. Cependant, du fait de la logique de déterritorialisation résultant de la mondialisation économique et de la vague de plus en plus importante des migrations dans le monde (aux alentours de 214 millions de personnes par an, presque 3 % de la population mondiale[14]), un petit nombre d'individus radicalisés traversent la Méditerranée et se retrouvent en Europe en dépit de la collaboration entre les États de la région pour les intercepter. Sur le plan idéologique, il n'y a pas de barrière non plus, les

---

14. Voir International Organization for Migration, World Migration Report 2010, [en ligne], www.iom.int/files/live/sites/iom/files/Newsrelease/docs/ WM2010_FINAL_23_11_2010.pdf [consulté en mai 2014].

pensées radicales traversant facilement les frontières grâce aux nouvelles technologies de communication (Internet, la télévision par satellite). En dépit de cette porosité des frontières et des effets de contagion qui en découlent, la structure de la radicalisation, notamment des classes moyennes, présente des différences notables en Europe et dans les pays musulmans : en Europe les membres des classes moyennes qui se radicalisent sont une petite minorité par rapport à la grande majorité constituée de jeunes en état de précarité ou d'exclusion ; en revanche, dans le monde musulman les nouvelles générations au sein des classes moyennes forment la majorité des adeptes radicalisés.

La radicalisation chiite et sunnite : différences et similitudes

Le chiisme est une branche minoritaire de l'islam : on compte environ 10 % de chiites contre 90 % de sunnites. Les chiites ont été longtemps réprimés par les sunnites dans le monde musulman et leur radicalisation porte les traces de leur histoire. L'Iran et l'Irak sont les deux seuls pays du monde musulman où les chiites sont majoritaires. La radicalisation chiite en Iran dans les années 1970 a abouti en 1979 à la Révolution islamique. Depuis, le modèle de radicalisation chiite a subi une mutation profonde : c'est l'État théocratique qui a dirigé celle-ci, alors que dans le monde sunnite, en l'absence d'un État islamiste révolutionnaire, la radicalisation s'est produite contre le pouvoir en place. La longue guerre entre l'Iran et l'Irak (1980-1988) a eu pour conséquence le développement en Iran d'un type de radicalisation à forte dimension «doloriste», où la notion du martyre a été mise en vedette, en référence notamment au troisième imam chiite, Hossein, mis à mort par le calife Yazid en 680, et dont le martyre est célébré chaque année dans les rituels fortement dramatisés des deux jours de Tasou'a et d'Achoura. La radicalisation chiite est dirigée moins contre les sunnites que contre l'Occident impérialiste et ses adjuvants dans la région, comme l'Arabie saoudite, l'Irak de Saddam Hussein, l'Égypte de Moubarak. Du côté sunnite on perçoit un anti-chiisme qui se manifeste dans les massacres perpétrés contre ces derniers au Pakistan, en Afghanistan, et dans de nombreux pays musulmans où ils sont minoritaires. La radicalisation jihadiste revêt ainsi une dimension sectaire au sens strict du terme, les chiites étant considérés comme des musulmans inauthentiques œuvrant en sous-main avec les puissances du mal pour saper l'islam de l'intérieur. Le radicalisé chiite fait appel au martyre d'Hossein pour légitimer sa lutte, la mort étant désormais un élément fondamental dans sa religiosité au point que le «désir de mourir» semble se substituer au désir de vivre chez les plus radicalisés. Chez les sunnites, la radicalisation est surtout marquée dans sa dimension symbolique par le désir de «donner la mort», la mort de l'individu radicalisé n'étant que la conséquence iné-luctable d'un rapport de force défavorable. On ne trouve pas de trace de «dolorisme» dans ce type de martyre.

Après la première année de la Révolution islamique, la radicalisation chiite est orchestrée par l'État théocratique sous l'égide du charismatique ayatollah Khomeyni, princi-palement au sein de Bassidj, une organisation de volontaires prêts à se sacrifier pour préserver la Révolution islamique en Iran. La radicalisation dirigée par l'État théocratique chiite en Iran s'accompagne de la mainmise sur les ressorts de toute radicalisation et de la répression de toute forme d'expression qui entendrait échapper à la domination étatique. Bassidj, organisation de jeunes chapeautée par l'armée des pasda-rans en Iran, en est l'incarnation officielle. Ses membres sont entraînés pour subir la mort ou la donner, encadrés par l'armée. Le Hezbollah libanais, dont la création a été menée par une branche de l'armée iranienne des pasdarans, se caractérise à son tour, par une forte structure organisationnelle. La radicalisation s'y maintient en opposition aux autres groupes politiques libanais, mais aussi à l'armée israélienne et, depuis la guerre civile en Syrie, aux opposants au régime de Bachar el-Assad. Ici, la radicalisation s'articule sur l'ethnicité : chiite/sunnite, chiite pauvre/sunnite et maronite riches, chiite libanais/israélien juif. La mobilisation passe aussi par l'appel de fonds, l'Iran donnant à la « radicalité chiite » son assise financière, notamment par des réseaux d'entraide en cas d'urgence (aide aux victimes de l'offensive israélienne de juillet 2006…). Si la radicalisation chiite est dans l'ensemble encadrée en Iran par l'armée des pasdarans via sa filiale Bassidj et au Liban par le Hezbollah, c'est surtout Moqtada al-Sadr, chef de la milice chiite l'Armée du Mahdi, qui assure en Irak cette idéologisation et la prise en charge de la radicalisation. Le bastion de ce clerc chiite est Sadr City, vaste banlieue du nord-est de la capitale Bagdad où se sont réfugiés les chiites irakiens lors de leur répression en 1991 par Saddam Hussein. Les partisans de Moqtada al-Sadr se veulent aussi les défenseurs des « déshérités » (*mustadh'afun*), ce qui donne à leur radicalisation une dimension sociale qui transparaît en partie dans leurs revendications politico-religieuses.

À la différence des chiites, les sunnites radicalisés ne disposent plus d'un État sur lequel s'appuyer[15], et le processus de radicalisation s'effectue par le bas, en se fondant sur des

---

15. Avant le renversement des talibans par les Américains en 2002-2003, al-Qaida et d'autres groupes jihadistes sunnites bénéficiaient de l'hospitalité du pouvoir en Afghanistan. Depuis, aucun État n'héberge officiellement les jihadistes sunnites.

structures tribales (au Yémen, au Pakistan dans la province du Waziristan, en Libye où les seigneurs de la guerre conjuguent comme en Afghanistan leurs intérêts privés et leur capacité à mobiliser des milices).

La radicalisation sunnite a été fondamentalement marquée depuis le début du xxiᵉ siècle par la formation du réseau al-Qaida fondé sur le charisme de son chef Ben Laden et le dévouement de ses membres. Même si l'armée américaine s'est attachée à démanteler l'organisation après les attentats du 11 septembre et est parvenue à éliminer une partie de ses cadres dans les années 2000, le groupe a su se renouveler en s'adaptant à la nouvelle situation par une stratégie de décentralisation et de constitution de groupuscules autonomes. Ceux-ci sont unis à al-Qaida par l'idéologie et une communication minimale, l'ensemble trouvant sa cohérence dans sa lutte sans merci contre l'Occident, et en particulier contre les États-Unis, et dans le dévouement de ses membres qui acceptent de mourir dans des attentats-suicides. La guerre civile en Syrie et la situation irakienne où un gouvernement chiite tente de marginaliser les sunnites ont relancé des groupes jihadistes qui manifestent leur allégeance à al-Qaida ou à des groupes en compétition avec ce dernier dont le plus important, le Daech ou l'État islamique en Irak et au Levant (EIIL) parvient à constituer un nouvel État entre la Syrie et l'Irak, empiétant sur de vastes pans des territoires de ces deux pays. EIIL est entré en conflit avec Jabhat al-Nosra, groupe jihadiste moins rigoriste, Ayman al-Zawahiri le chef d'al-Qaida appelant au partage du front entre l'Irak et la Syrie alors qu'EIIL voulait l'unifier sous le même commandement. Toujours est-il que la guerre civile en Syrie, la dégradation de la situation en Irak et l'ouverture de nouveaux fronts jihadistes en Afrique noire ont donné une nouvelle vigueur à al-Qaida, qui bénéficie encore des zones tribales pakistanaises pour l'hébergement d'une partie de ses cadres.

La radicalisation féminine et son caractère fortement minoritaire

Si la radicalisation est fortement minoritaire dans le monde, celle des femmes l'est encore plus jusqu'à présent. On trouve des femmes radicalisées chez les Tchétchènes (les «veuves noires»), chez les Tigres tamouls (un tiers des attentats-suicides perpétrés par cette organisation marxiste séparatiste auraient été mis en œuvre par des femmes, voir Pavey 2006), parmi les activistes libanais et palestiniens (André-Dessornes 2013), mais aussi dans quelques cas de jihadisme lié à al-Qaida. Comme on l'aperçoit, les *chahida* (femmes martyres) ne sont pas nécessairement jihadistes. Au Liban entre 1982 et 1986, 41 attentats ont été commis contre les forces militaires américaines, françaises ou israéliennes, selon Robert Pape ; 8 d'entre eux ont été le fait d'islamistes radicaux, les 33 autres ayant été exécutés par des communistes et des socialistes, dont 6 par des femmes.

De 1981 à 2011, selon le Chicago Project on Security and Terrorism (CPOST), sur près de 2 300 attentats-suicides dans le monde, quelque 125 auraient été commis par des femmes, moins de 5 % de l'ensemble.

Les premières femmes kamikazes ont été des nationalistes : Sana Mhaydali, la première kamikaze connue, était membre depuis un an du Parti nationaliste syrien, une formation laïque. Elle s'est fait exploser le 9 avril 1985, tuant 2 Israéliens, pour protester contre l'occupation du Sud-Liban par l'État hébreu. En juin 2000, 2 femmes tchétchènes ont conduit un camion bourré d'explosifs vers une base militaire à Grozny, tuant au moins 27 militaires russes.

Le 12 avril 2002, une femme kamikaze appartenant aux Brigades des martyrs d'al-Aqsa, groupe militant laïque et nationaliste, se fait exploser sur le marché Mahane Yehuda à Jérusalem, tuant 6 personnes et en blessant 90 autres. Par la suite, ce groupe a revendiqué 3 autres attentats-suicides commis par des femmes et a créé une unité de lutte féminine « Wafa Idriss », du nom de la première Palestinienne kamikaze, bien avant que les partis Hamas et Djihad islamique n'en organisent eux-mêmes. Le 4 octobre 2003, Hanadi Jaradat, une jeune Palestinienne de 26 ans, commet pour le Djihad islamique un attentat-suicide dans le restaurant Maxim à Haïfa, faisant 21 morts et 51 blessés.

Le 9 novembre 2005 à Amman, des kamikazes attaquent trois hôtels. Parmi eux une femme, Sadjida al-Richaoui, sœur de l'ancien bras droit d'Abou Moussab al-Zarqaoui tué par les Américains à Falloujah, qui ne réussit pas à actionner le détonateur de sa ceinture d'explosifs, contrairement à son mari, lui aussi membre du commando. L'attentat tue 57 personnes et en blesse 300[16].

Au Kurdistan turc, des femmes kamikazes du Parti des travailleurs du Kurdistan se sont engagées dans les années 1980 contre l'armée turque.

On trouve aussi parmi les kamikazes des converties occidentales. Ainsi, la Belge Muriel Degauque, née en 1967 à Charleroi, qui s'est fait exploser à Babouka en Irak le 9 novembre 2005, causant la mort de 5 policiers et 4 civils. À 35 ans, Muriel se convertit et devient Myriam. Elle rencontre, par l'intermédiaire d'un membre de la mosquée al-Hidaya

---

16. Guy Taillefer, « Portrait-robot de la femme kamikaze. Qui est-elle et pourquoi le fait-elle ? », *Le Devoir*, 25 novembre 2005, [en ligne], http://www.ledevoir. com/societe/actualites-en-societe/96139/portrait-robot-de-la-femme-kamikaze [dernière consultation en mai 2014].

à Bruxelles, un Belge de mère marocaine, salafiste militant, qu'elle épouse et auprès de qui elle se radicalise et suit l'enseignement du cheikh Abou Chayma. En 2005, le couple part pour l'Irak. Le mari sera tué par l'armée américaine quelques jours après l'attentat-suicide de sa femme lors d'une autre action kamikaze. Muriel et son mari appartenaient à une « filière kamikaze » dont le fondateur, le Belgo-Tunisien Bilal Soughir, et deux membres belgo-marocains, ont été condamnés à des peines de prison.

L'Américaine Colleen LaRose, connue sous le nom de « jihad Jane », aurait fourni en 2009 un soutien matériel pour une entreprise terroriste visant à l'assassinat de Lars Vilk, l'auteur suédois ayant caricaturé le prophète Mahomet en l'affublant d'un corps canin. Une autre Américaine, Jamie Paulin Ramirez, a été soupçonnée d'être la complice d'un Algérien, lui-même principal suspect du complot contre Lars Vilk. Convertie à l'islam en 2009, elle avait épousé un musulman connu sur Internet et s'était envolée pour l'Irlande, accompagnée de son fils d'un premier mariage rebaptisé Wahid. On peut aussi citer le cas de la Britannique Samantha Louise Lewthwaite, dite « la veuve blanche », dont le mari s'est fait exploser dans l'attentat du métro de Londres le 7 juillet 2005. Elle s'est liée au groupe jihadiste somalien al-Chabab et aurait pris part à des activités terroristes.

À l'origine de l'engagement de la plupart des femmes, on trouve la volonté de vengeance pour la mort du mari, du frère, du père ou d'un membre très proche de la famille. Les femmes ressentent les premières les méfaits de la guerre, de l'emprisonnement de leurs hommes, de l'état de siège quasi-permanent (par exemple dans la bande de Gaza, ou au Cachemire) ; elles subissent la profonde humiliation que les hommes leur infligent en représailles d'avoir été eux-mêmes la cible de l'armée d'occupation ou des forces de l'ordre. Les femmes présentent aussi un intérêt stratégique pour les organisations dans la mesure où on les soupçonne moins d'être des kamikazes et où, dans de nombreux pays musulmans, les hommes ne peuvent pas les fouiller. Enfin, on trouve quelquefois chez elles la volonté de se hisser au rang des hommes en se montrant capables de mourir pour une cause sainte. Si les femmes peuvent égaler les hommes devant la mort, par héroïsme interposé, il devient difficile de leur dénier l'égalité devant la vie. La mort des femmes en martyres revêt ainsi une dimension antipatriarcale, voire féministe. C'est pourquoi les groupes islamistes radicaux n'ont recours à l'action des femmes kamikazes qu'exceptionnellement : ils craignent de devoir renoncer par la suite à un certain nombre de prérogatives que leur lecture du Coran et de la Tradition prophétique attribue à la condition masculine. On a aussi invoqué pour expliquer l'implication des femmes dans des attentats-suicides en pays musulmans leur situation désespérée, soit que l'ennemi (américain dans les cas irakien et afghan, israélien dans le cas palestinien, russe dans le cas tchétchène, etc.), en tuant le mari ou des membres de la famille, ait livré la femme à une solitude telle qu'elle ne peut plus refaire sa vie (remariage très improbable, voire impossible), soit que la femme elle-même ait eu des problèmes biologiques ou psychologiques (Wafa Idriss, la première femme kamikaze palestinienne, était stérile et la famille de son mari l'avait acculée à divorcer ; Muriel Degauque était génétiquement dépourvue d'utérus). Mais on ne saurait généraliser ce constat à l'ensemble des femmes. L'idée qu'on les forcerait à devenir kamikaze ne résiste pas non plus à l'analyse dans la plupart des cas. Il y a un activisme féminin comme il existe un activisme masculin, et l'acteur jihadiste peut fort bien être une femme sans que l'on ait besoin de lui imposer des normes plus contraignantes qu'aux hommes.

En Occident, la radicalisation des femmes dans les mouvements d'extrême gauche laïque a pu se faire par leur participation active aux attentats et à l'organisation même du terrorisme. Cela a été le cas du groupe Baader-Meinhof (Fraction armée rouge), où Ulrike Meinhof a joué un rôle de premier plan, de même que Brigitte Asdonk, Monika Berberich, Irene Goergens, Petra Schelm, Ingrid Schubert, Rosemarie Keser, Brigitte Mohnhaupt, Suzanne Albrecht, Christine Dümlein, Monika Helbing, Birgit Hogefeld… Il s'agit de l'un des premiers mouvements radicaux où les femmes jouent un rôle en quasi-parité avec les hommes, autant dans la conception que dans l'exécution des attentats.

Si dans le monde musulman, la radicalisation des femmes obéit à une logique en partie différente de celle des hommes (importance des griefs liés à la mort d'un mari ou d'un proche), cette dissymétrie est moins patente en Europe, en particulier dans le groupe Fraction armée rouge. Sur les autres plans, les radicalisations féminine et masculine semblent procéder de la même logique : sentiment d'humiliation, ressentiment profond, capacité d'agir accrue par une organisation ou par le bricolage au sein d'un groupe et enfin, volonté d'humilier l'humiliateur tout en gagnant, dans les cas relevant de l'islamisme radical, un statut de martyre récompensée au Ciel par une place de choix au paradis, dans les autres cas, une aura d'héroïsme et une place dans la mémoire collective.

– L'intelligentsia jihadiste et sa mondialisation –

La radicalisation, on l'a dit, suppose une idéologie radicale et une action violente dont la conjonction donne naissance à des formes extrêmes de violence. Les théories de l'extrême gauche élaborées par l'école de Francfort (Herbert Marcuse dénonçant l'homme unidimensionnel), l'Internationale situationniste (Guy Debord vise à changer le monde en dépassant l'art par le bouleversement de la vie quotidienne), ou le groupe Socialisme ou barbarie fondé par Cornélius Castoriadis et Claude Lefort ont alimenté et influencé le gauchisme des années 1970, qui a donné naissance au terrorisme d'Action directe en France ; mais certains intellectuels (Jean-Marc Rouillan, Nathalie Ménigon, André Olivier, Régis Schleicher…) se sont aussi physiquement engagés dans le groupe, joignant l'action et la théorie pour donner un sens idéologique *in situ* à leur action violente. Cette dualité des intellectuels – ceux qui ont exercé une influence et ceux qui ont été directement impliqués – se retrouve en Italie à la même époque avec les Brigades rouges (les intellectuels se réclamant des courants gauchistes comme Antonio Negri, Mario Tronti, Romano Alquali, Oreste Scalzone d'une part, et au sein du groupe, Alberto Franceschini, Renato Curcio, Enrico Fenzi, etc.) et en Allemagne avec l'intelligentsia gauchiste internationale en arrière-plan idéologique de la Fraction armée rouge et, au sein même de l'organisation révolutionnaire, des intellectuels-activistes qui réfléchissent à l'élaboration d'une nouvelle théorie de l'action révolutionnaire tout en participant au mouvement extrémiste (c'est notamment le cas des auteurs du texte « Bâtir l'armée rouge », publié en juin 1970).

Le même constat de double intelligentsia peut s'étendre aux jihadistes : on trouve en arrière-plan un jihadisme qui remonte au moins à Seyyed Qotb, l'un des premiers théoriciens à prôner le jihad permanent jusqu'à l'avènement de l'islam comme religion du monde entier incarnant la légitimité politico-religieuse (il fut exécuté en 1966 par le régime de Nasser en Égypte), ou au Pakistanais Mawdudi, théoricien de la *hakimiya* (pouvoir islamique). Cette vision d'un État islamique a été relayée par des penseurs chiites révolutionnaires (Shariati prône dans les années 1970 le chiisme rouge, mêlant l'utopie d'une société sans classes avec celle d'une société ne se soumettant qu'à Dieu seul) et par des mouvements dissidents des Frères musulmans : le mouvement Takfir wal Hijra (Anathème et Exil). Fondé en 1971 en Égypte par l'ingénieur Moustafa Choukri, il souligne la nécessité de la lutte violente non seulement contre les non-musulmans mais aussi envers les musulmans qui refusent le jihad contre les puissances du mal (l'Occident, mais aussi la totalité des États musulmans) ; le groupe Tanzim al-Jihad, fondé en 1979 par Abd al-Salam Faraj – l'ingénieur égyptien auteur de *Jihad, obligation absente*, qui prône le retour à la guerre sainte pour lutter contre les forces anti-islamiques (les nouveaux Croisés et les sionistes) – et auquel appartient l'assassin du président égyptien Sadate.

La révolution islamique en Iran en 1979 met en place un État théocratique selon l'idée de l'ayatollah Khomeyni reposant sur le principe du Gouvernement du jurisconsulte islamique, le *Velayat faqih*. Dès lors, la lutte pour un pouvoir s'appuyant intégralement sur l'islam ne paraît plus une utopie inaccessible.

Le succès de la Révolution islamique en Iran a renforcé la radicalisation au même titre qu'une vingtaine d'années plus tard les attentats du 11 septembre 2001 ont rempli de liesse les islamistes radicaux. Ces succès rendent les radicalisés encore plus radicaux dans leurs exigences et étayent la conviction que la défaite de «l'ennemi croisé» est possible avec l'assistance divine, l'utopie islamiste d'un gouvernement islamique mondial (le néo-califat) se nourrissant de chaque réussite partielle comme d'un pas en avant vers l'accomplissement de ses aspirations.

Même hétéroclite, une grande partie de l'intelligentsia iranienne, laïque ou religieuse, a contribué à la Révolution islamique de 1979 en Iran : Shariati, l'ayatollah Taleghani, Mehdi Bazargan, l'ayatollah Khomeyni et ses disciples cléricaux, mais aussi certains intellectuels sécularisés de tendance marxiste comme Jalal Al-e-Ahmad qui pensaient qu'une société sous-développée comme l'Iran devait s'appuyer sur un chiisme «révolutionnaire» pour lutter contre l'impérialisme et le pouvoir autocratique du Chah. Dans ses conférences, Ali Shariati appelait de ses vœux un chiisme révolutionnaire qui réaliserait le rêve de Marx et de Mehdi (le 12e imam caché, le Messie chiite) par la mobilisation des masses. Ce que les révolutions laïques n'avaient pu achever, la révolution au nom de l'islam allait enfin l'accomplir. Les grands intellectuels étaient relayés par de «petits intellectuels» qui répandaient leur message et l'amplifiaient. C'était notamment le cas dans les rangs de la minorité cléricale acquise à l'ayatollah Khomeyni et parmi la jeunesse modernisée qui se nourrissait de la pensée de Shariati en assistant à ses conférences dans une nouvelle mosquée des quartiers résidentiels du nord de Téhéran, Hosseiniyeh Ershad.

L'islamisme radical moderne a débuté avec les tendances révolutionnaires développées au sein des Frères musulmans en Égypte (le courant qotbiste, s'inspirant des idées de Sayyid Qotb), puis s'est renouvelé dans le chiisme révolutionnaire avec Shariati et l'ayatollah Khomeyni dans les années 1970-1980 avant de trouver dans sa version sunnite un nouveau champ d'application en Afghanistan sous la direction idéologique d'Abdallah Azzam (assassiné à Peshawar, au Pakistan, en novembre 1989) jusqu'au départ des troupes russes en 1989. Ce mouvement a trouvé dans l'opposition à l'Occident un nouveau thème mobilisateur sous la direction de Ben Laden et d'Ayman al-Zawahiri qui ont servi d'intellectuels organiques au mouvement jihadiste tandis qu'une dizaine de «grands intellectuels» islamistes radicaux œuvraient à la légitimation de la version extrémiste de l'islam, d'abord dans le monde arabe sunnite, puis de manière élargie en Occident. Les plus éminents de ces idéologues, Maqdisi, Tartusi, Abu Mus'ab al-Suri, Abou Qatada et quelques autres, ont exercé une influence décisive sur le jihadisme dans le monde musulman et au-delà. Leurs idées se rejoignent sur quelques traits essentiels:

– le premier est la lutte sans merci contre les systèmes politiques laïques inspirés par l'Occident au nom de la souveraineté du peuple. Toute pensée politique fondée sur le peuple est une idolâtrie (*shirk*), la cheville ouvrière de toute politique légitime devant être la souveraineté d'Allah et le peuple devant se soumettre à cette transcendance qu'incarnent le Coran, parole de Dieu, et les Traditions du Prophète (les *hadiths*, dires du Prophète) collectées par ses compagnons et leurs élèves dans les trois premiers siècles de l'islam (les *salaf*). La démocratie, en particulier, est la cible de l'islamisme radical qui y voit une forme pernicieuse de sécularisme dont la visée ultime est la destruction de l'islam. Les gouvernements autoritaires dans les sociétés musulmanes sont aussi une forme d'idolâtrie (*taqut*) et rejoignent la démocratie dans le déni d'Allah comme détenteur ultime de légitimité politique. Pour le jihadisme, l'autocratie comme la démocratie sont marquées par le sécularisme et le rapport impie au peuple comme source ultime de légitimité. La guerre sainte doit être menée avec vigueur contre ces types hérétiques du pouvoir, incompatibles avec l'islam. Pratiquement tous les intellectuels cités plus haut ont rédigé un livre ou un fascicule traitant la démocratie d'idolâtrie et dénonçant sa perversité comme système politique. Ils empruntent au passage nombre d'idées à l'extrême droite et à l'extrême gauche occidentales en les revêtant d'une terminologie islamique, par exemple les affirmations selon lesquelles le peuple n'est pas le vrai détenteur du pouvoir mais est supplanté en pratique par les puissances de l'argent, les détenteurs de capitaux, les sionistes, les francs-maçons, etc. ;

– la deuxième série d'idées exploitées par les intellectuels jihadistes consiste à dénoncer l'impérialisme occidental qui asservit les peuples musulmans en Bosnie, en Afghanistan, en Irak, en Palestine ou ailleurs. La terminologie islamique (*istikbar* pour impérialisme, *istidh'af* pour les classes exploitées) est mise au service d'une vision qui rejette la domination occidentale en donnant un contenu théologique à l'anti-impérialisme. Cette perspective attire une partie de la jeunesse occidentale qui ne trouve plus dans l'extrême gauche les outils pour combattre l'impérialisme et voit dans cette version de l'islam le moyen d'affirmer son rejet de l'hégémonie américaine, eu égard en particulier à la question palestinienne ;

– la troisième série d'idées représente celles qui prônent un néo-patriarcat susceptible de redonner sens à la famille en rompant avec sa déstructuration moderne incarnée par le féminisme et les idées fondées sur la reconnaissance de l'égalité des genres et la légalisation de l'homosexualité. L'islam fondamentaliste et *a fortiori* le jihadisme, contrairement aux réformistes musulmans, affirment la « complémentarité » entre l'homme et la femme au nom de la préservation de la famille, l'homme pouvant épouser jusqu'à quatre femmes, la femme devant se soumettre à l'homme dans les domaines prescrits par Dieu (sa part d'héritage est moitié moindre que celle de l'homme, son témoignage devant la justice vaut de même pour moitié, son droit de divorce est restreint, etc.). Une vision attrayante pour des hommes que le féminisme a plongés dans le désarroi et qui sont nostalgiques de la stabilité de la famille patriarcale.

Les grands intellectuels jihadistes trouvent des échos amplifiés auprès de nombreux petits intellectuels maison en Europe appartenant aux branches radicales du salafisme, bref tous ceux qui apprennent l'arabe dans l'espoir d'accéder aux textes sacrées et qui deviennent les vulgarisateurs de ces pensées solidement ancrées sur le plan théologique dans une lecture spécifique du Coran et de la Tradition. Dans la diaspora, on trouve des intellectuels occidentaux qui ont fait leur mutation idéologique et sont devenus les ténors du jihadisme, comme Anwar al-Awlaki, imam américain d'ascendance yéménite né au Nouveau-Mexique en 1971, membre éminent d'al-Qaida dans la péninsule arabique, dont il est devenu l'idéologue le plus influent, tué par des drones américains le 30 septembre 2011 au Yémen. Ses sermons jihadistes en anglais, diffusés sur Internet, ont influencé de nombreux adeptes, voire plusieurs tentatives d'attaques terroristes en Grande-Bretagne et aux États-Unis à partir de 2009 (voir plus bas). Il a aussi collaboré activement à la revue en ligne

Inspire, dans laquelle des conseils pratiques pour fabriquer des bombes artisanales côtoient des textes idéologiques justifiant la guerre sainte contre les États-Unis et leurs alliés. Plusieurs autres jihadistes occidentaux, notamment Adam Yahya Gadahn (dit Yahya l'Américain) ou Samir Khan, un Américain de New York qui a longtemps entretenu un blog appelant au jihad, ou encore Yahya Ibrahim, prédicateur jihadiste ayant séjourné au Canada, ont contribué à cette revue.

L'intelligentsia jihadiste exploite à fond la mondialisation et les formes nouvelles de communication par la Toile. On assiste à une internationalisation des jihadistes qui puisent non seulement dans le monde musulman, mais aussi chez les convertis et auprès de certains musulmans *born again*. Ces derniers donnent un sens beaucoup plus dynamique à la radicalisation dans la mesure où ils connaissent la culture occidentale et savent comment agir en milieu européen ou américain sans éveiller les soupçons, au moins au début de leur engagement. La mondialisation joue aussi dans le sens du mélange des cultures et des nationalités. Le cas de Anwar al-Awlaki et de certaines personnes qui ont collaboré avec lui est symptomatique. Né aux États-Unis de parents yéménites, Anwar al-Awlaki en part à l'âge de 7 ans pour le Yémen où son père devient président de l'université de Sanaa. Après onze années au Yémen, Anwar revient faire ses études à l'université du Colorado et obtient une licence en travaux publics, tout en occupant la présidence de l'Association des étudiants musulmans. Combinant familiarité avec la culture occidentale et la langue anglaise et connaissance de l'arabe et des idéologues jihadistes (il est profondément influencé par Seyyed Qotb), il attire surtout des jeunes gens de culture anglo-américaine, qu'il comprend beaucoup mieux que les jihadistes arabes. Sa capacité à utiliser le web – qui lui vaut le surnom de «Ben

Laden de l'Internet» – en fait le vulgarisateur idéal, «l'intellectuel intermédiaire» qui simplifie les propos théologiques des
grands idéologues du jihadisme et opère comme une caisse
de résonance auprès de la jeunesse occidentale. En 1993, il
visite l'Afghanistan et est marqué par les écrits d'Abdallah
Azzam, qui apportent une justification religieuse au jihad en
Afghanistan : le jihad est un devoir impérieux (*fardh al ayn*)
lorsqu'une terre musulmane est occupée par des non-musulmans. De 1996 à 2000, Awlaki sert comme imam à la mosquée Al Rabat al-Islami de San Diego, où 200 à 300 sympathisants suivent ses prêches. Il est connu et respecté de certains
des acteurs des attentats du 11 septembre.

Awlaki est l'une des personnalités importantes dans la
radicalisation de certains Américains ou Anglais qui ont par
la suite commis des meurtres ou des attentats aux États-Unis
ou en Grande-Bretagne, parmi lesquels Nidal Malik Hasan,
auteur des meurtres de Fort Hood au Texas le 5 novembre
2009. On lui attribue aussi d'avoir inspiré, voire recruté, le
Nigérian Umar Farouk Abdulmutallab, auteur de la tentative d'attentat sur le vol 253 de la Northwest Airlines reliant
Amsterdam à Detroit, le 25 décembre 2009.

En 2002, Awlaki quitte les États-Unis pour la Grande-
Bretagne où il résidera pendant plusieurs mois. Il y fait
des conférences devant quelque 200 jeunes, engageant les
musulmans occidentaux à ne jamais faire confiance aux
hérétiques (*kuffar*, terme péjoratif désignant dans la bouche
des jihadistes les non-musulmans), leur but étant l'éradi-
cation de l'islam[17]. Il donne de nombreuses conférences

---

17. Shane Scott & Souad Mekhennet, «Anwar al-Awlaki–From Condemning
Terror to Preaching jihad», *New York Times*, 8 mai 2010, [en ligne], www.
nytimes.com/2010/05/09/world/09awlaki.html [dernière consultation en mai
2014].

dans diverses institutions musulmanes en Grande-Bretagne, vantant les mérites du martyre et du jihad et exhortant les musulmans à ne pas se trahir. En 2004 Awlaki retourne au Yémen. Mis en prison en 2006 sous la pression des autorités américaines pour association avec al-Qaida, il est libéré en décembre 2007 sur intervention de sa tribu. En mars 2009, recherché par la police yéménite, il entre dans la clandestinité. Dans une vidéo de mars 2010, Awlaki accuse directement les États-Unis d'attaquer les musulmans et incite les musulmans américains à s'insurger et, au nom du jihad qui devient un devoir impérieux, à engager la lutte contre eux. Selon les services de renseignement occidentaux, Awlaki a été associé, directement ou indirectement, à une douzaine d'actions terroristes aux États-Unis, en Grande-Bretagne et au Canada. Ses prônes ont influencé les personnes ayant perpétré les attentats de Londres en juillet 2005, de Toronto en 2006, les individus impliqués dans l'attaque de Fort Dix aux États-Unis en 2007... Dans tous ces cas, les personnes impliquées dans les attaques avaient consulté les messages et les prêches d'Awlaki sur Internet. Celui-ci avait mis en place non seulement son site web, mais aussi sa page sur Facebook, consultée par de nombreux « fans » aux États-Unis, pour la plupart des lycéens.

Ce cas, parmi bien d'autres, montre comment de nouveaux types de « citoyens du monde » circulent aisément entre plusieurs pays et cultures en raison de leur multiculturalisme et de leurs multiples nationalités et peuvent exercer une influence décisive sur des gens qui, autrement, seraient difficiles d'accès. Leur sphère d'influence est encore augmentée par l'utilisation de la Toile, notamment Facebook et les vidéos, qui permet un « jihad médiatique » à même de devenir un instrument puissant dans la radicalisation de personnes à l'autre bout du monde. Le contact face à face n'est plus nécessaire, de même que partager le même univers culturel perd de sa pertinence dans la logique d'une mondialisation où le message percutant et simplifié de l'oppression par les pays occidentaux trouve toujours un écho. Le lien à distance, par Internet, avec des personnes charismatiques, ainsi que la difficulté de le déceler malgré les moyens modernes de détection, rendent possible l'autoradicalisation.

- La Toile -

La Toile exerce une influence tant comme instrument pour les nouvelles formes d'action sociale que comme facteur de changement des habitus mentaux et des façons de voir et d'agir. Les révolutions arabes de 2010-2011 n'auraient pas pris la forme et l'intensité qu'elles ont revêtues sans Internet et en particulier Facebook et Twitter. Le rôle du téléphone portable a été tout aussi déterminant, notamment lorsque l'accès à Internet a été coupé en Égypte pendant quelques jours et que Google a facilité le transfert de l'information vers le portable (en Iran aussi, pendant le Mouvement vert en juin-juillet 2009, la coupure d'Internet par le gouvernement a été en partie compensée par le recours au portable).

Mais la Toile ne joue pas seulement un rôle de « technologie de libération » comme on a pu le dire plus ou moins naïvement. Elle peut tout aussi bien être un instrument amplifiant la capacité de violence des personnes ou des groupes radicaux en autorisant des types de communication qui font l'économie des structures rigides et des rencontres face à face. Ou encore, un instrument redoutable aux mains des gouvernements pour surveiller, voire espionner les citoyens dans leurs communications quotidiennes.

En bref, le rôle de la Toile n'est pas univoque ni à sens unique. Pour ce qui est de la radicalisation, le web joue un rôle fondamental non seulement dans les communications et les échanges entre personnes, mais aussi comme média essentiel pouvant favoriser ou même la soutenir auprès de certains individus exposés à sa littérature.

La Toile ouvre un espace qui n'est ni privé ni public, au sens traditionnel du terme. Il s'agit en l'occurrence d'un espace de polarité, c'est-à-dire agrégeant ceux ou celles qui ont des affinités électives et qui entendent aussi convaincre d'autres de les rejoindre. Cet espace est un espace sectaire mais qui n'a pas la fermeture des sectes réelles, un espace public mais qui n'a pas l'ouverture de l'espace public réel, sa virtualité n'étant pas uniquement de l'ordre de l'irréel mais comme découpant le réel selon les normes d'une géométrie à valeurs multiples, pareille aux peintures cubistes d'un Picasso qui brise les lignes et les réorganise selon des points de fuite et de convergence réinventés. Dans cet espace quasi-public et semi-privé une dimension prend une pertinence particulière, celle qui est contre-anomique, c'est-à-dire celle qui donne à l'internaute le sentiment de participer à une « communauté chaude », même si elle est virtelle. De nombreux individus en Occident qui souffrent de l'anomie et de la déstructuration des liens sociaux trouvent dans la Toile jihadiste une communauté d'autant plus attrayante qu'elle procure un sentiment intense d'appartenance, le sentiment que l'existence trouve un sens dans la lutte contre un ennemi perfide (l'Occident) et surtout, qu'en luttant contre cet Occident maléfique on expulse de son âme la part du diable qui s'y est faufilée. L'Internet jihadiste opère une fonction d'exorciste et rassure l'individu sans lien social et comme désaffilié en l'insérant dans une communauté salvifique. L'internaute gagne une nouvelle identité en dénonçant sa propre part du diable : il est occidental, il est le Petit Blanc, il est lui-même entaché du mal qui le rend impur ; ou encore, il est fils d'immigré, il n'est ni français ni arabe, il incarne ce mal de la double « désappartenance » qu'il doit expulser de son être pour recouvrer une identité « assainie », pour devenir un Soi dans la lutte à mort contre un ennemi externe, mais aussi interne, qui rendait impossible la constitution d'un Ego unifié. La Toile permet d'opérer cette mutation identitaire dans un univers mi-onirique mi-réel qui fourmille de milliers de textes, de vidéos, de films et de témoignages, l'individu pouvant parcourir en quelques heures ce qui, dans le monde réel, prendrait des jours ou des mois. L'espace se condense, le temps se comprime et l'identité se resserre autour de quelques buts salvifiques : la lutte à mort contre l'Occident, la guerre à outrance contre une société impure, la volonté d'en découdre avec ceux ou celles qui faisaient partie naguère du cercle familier de la « désidentité », de la désaffiliation coutumière. La Toile, munie du message incendiaire du jihadisme, construit une identité, offre une communauté effervescente, élimine l'anomie, et bâtit à neuf un monde enfin doté de sens et infiniment diversifié dans les images et les séquences illimitées que l'on peut explorer sans fin.

Comme on l'a déjà noté, l'islamisme radical a donné naissance à une intelligentsia qui a renouvelé les thématiques jihadistes en les modernisant et en se servant du contexte politique actuel pour leur donner un sens allant bien au-delà de leur côté purement théologique ou juridique. Les nouveaux intellectuels jihadistes ont politisé l'islam dans un processus marqué par des intellectuels chiites (avec Shariati en figure de proue) puis sunnites (Maqdisi, Tartusi, Azzam, Suri, Abou Qatada…). Toute l'œuvre de cette nouvelle intelligentsia, dans son écrasante majorité arabophone, a été mise sur la Toile dans les années 1990 et, depuis le début du XXIᵉ siècle, traduite en anglais dans sa quasi-intégralité, des traductions partielles en français et dans d'autres langues européennes étant disponibles sur une multitude de sites. Ne serait-ce qu'à cause de la censure, la littérature jihadiste n'aurait certainement pas eu l'écho amplifié qui a été le sien dans presque tous les continents (à l'exception probable de l'Amérique latine) sans Internet. Des milliers de jeunes du monde entier ont eu accès gratuitement à la version arabe des textes ou à leurs multiples traductions. Des sites de discussion jihadiste leur ont aussi permis d'approfondir des sujets et d'entrer en contact avec d'autres jeunes avides de s'engager plus avant dans la lutte contre un monde injuste qui opprime les musulmans, mondialisant ainsi des thématiques qui, par le passé, seraient demeurées l'apanage du cercle plus ou moins clos des intellectuels et des couches minoritaires de gens éduqués[18]. Des sites montrant des scènes de combat, des mises à mort ou des techniques de fabrication artisanale de bombes permettent à des jeunes dépourvus de vocation dans l'existence de devenir les véritables acteurs de leur destin et de celui des autres, et de vivre sur la Toile un avant-goût de ce qui les attend demain sur le champ de bataille – la rue, le café, la gare ou l'avion qu'il pensent pouvoir faire exploser, ou encore, de manière encore plus incertaine, la Syrie ou l'Irak où ils pensent pouvoir lutter pour l'islam contre le tyran hérétique. La Toile est «virtuelle» en l'occurrence moins dans le sens de la non-réalité que comme la promesse et les prémices d'une réalité à venir, dont on goûte par avance l'enivrante âcreté. Elle est le réel que l'on s'assigne

---

18. Voir le rapport de Ghaffar Hussain & Erin Marie Saltman, *Jihad Trending: A Comprehensive Analysis of Online Extremism and How to Counter it*, Quilliam 2014, sur le site www.quilliamfoundation.org.

pour devoir de réaliser après en avoir fait l'expérience devant l'écran. En accomplissant la tâche meurtrière on devient un Soi digne à ses propres yeux. Une subjectivation perverse, faite de promesse du bonheur et d'une irrésistible envie de se venger d'un monde ingrat, met fin à l'anomie et à l'absence d'attaches aux autres. Ces derniers se partagent désormais entre des adversaires hérétiques ou de pieux amis dans un manichéisme qui met fin à l'angoisse d'un univers dépourvu de sens.

Un regard sur les modalités de radicalisation des individus ayant commis des attentats ou s'étant apprêtés à le faire après le 11 septembre 2001 révèle l'importance de la Toile comme instrument de radicalisation, soit par le contenu jihadiste de certains sites (autoradicalisation individuelle), soit par l'échange de vues avec d'autres prétendants au jihad qui crée des liens aboutissant à des projets communs d'action violente au nom de l'islam radical. Dans la quasi-totalité des cas répertoriés, la Toile occupe un rôle significatif.

Cependant, la Toile n'est pas uniquement un moyen de propagande aux mains des jihadistes. Elle est quelquefois utilisée par différents groupes jihadistes antagoniques pour régler leurs comptes. Ainsi Twitter occupe une place fondamentale dans la guerre que se mènent les deux groupes jihadistes majeurs en Syrie, l'État islamique en l'Irak et au Levant (EIIL) d'un côté, le Front al-Nosra, représentant officiel d'al-Qaida en Syrie, de l'autre. Dans des messages diffusés sur Twitter, les deux groupes s'accusent mutuellement de fomenter la *fitna* (dissension au sein des musulmans) et d'affaiblir l'*oumma* face à ses ennemis jurés, le régime d'Assad et l'Occident des Croisés. Abou Khaled al-Souri, l'un des chefs du groupe jihadiste Ahrar al-Cham (les hommes libres du Levant) a attaqué sur Twitter l'EIIL, l'accusant d'avoir initié la lutte contre les autres groupes jihadistes en Syrie. On sait par ailleurs que al-Souri est le représentant de Zawahiri, le leader d'al-Qaida en Syrie.

Quelquefois, au sein du même groupe jihadiste, Twitter peut servir à rendre publiques les dissensions internes qui pourraient autrement passer inaperçues. Wikibaghdady a ainsi mis sur la Toile, entre le 10 décembre 2013 et le 21 janvier 2014, les péripéties de la promotion fulgurante d'Abou Bakr al-Baghdadi, l'émir de l'État islamique en Irak et au Levant, ainsi que l'expansion du groupe jihadiste en Syrie, à partir de l'Irak. Sa voix a été réduite au silence depuis le 21 janvier 2014. Si Twitter est devenu l'instrument le plus puissant sur la Toile pour la propagande et le recrutement des futurs membres, c'est aussi le moyen par lequel tous les groupes dévoilent les stratagèmes et les coups bas de leurs adversaires, contribuant à se discréditer mutuellement dans une guerre de propagande sans merci[19].

Les gouvernements européens ont pris conscience de l'importance de la Toile et de la nécessité de surveiller et contrôler les sites radicaux visités. Un peu partout est apparu un nouveau délit que l'on pourrait qualifier de «jihad médiatique», même dans les sociétés démocratiques. En France, une loi a été adoptée en décembre 2012 après les attentats commis par Mohamed Merah, autorisant la mise en détention provisoire de personnes mises en examen pour «apologie des actes de terrorisme» ou incitation au terrorisme. Ce fut notamment le cas d'un jeune converti âgé de 26 ans, Romain L., ayant publié sous le pseudonyme Abou Siyad al-Normandy de nombreux communiqués d'al-Qaida au Maghreb islamique (AQMI). Il aurait joué un rôle significatif dans la traduction en français et la diffusion des numéros 10 et 11 de la revue

---

19. Voir Bill Roggio, «Syria's Jihadist Twitter Wars», The Daily Best, 16 février 2014.

jihadiste *Inspire*, selon le Parquet. On peut désormais parler, comme l'affirme le parquet de Paris, de « [l]'émergence
d'une communauté djihadiste virtuelle, qui attire un public
de plus en plus large et de plus en plus jeune, vecteur de
propagande, de radicalisation et de recrutement, à l'origine
du basculement d'individus isolés dans le terrorisme […][20] ».

Romain L., converti à l'islam à l'âge de 20 ans et marié
à une Franco-Marocaine, aurait reconnu sa participation
active à l'administration du site jihadiste Ansar al-Haqq,
qui diffuse la revue *Inspire* où se côtoient thématiques théologiques et leçons pratiques de fabrication de bombes[21]. Il a
été condamné à un an de prison ferme par le tribunal correc-
tionnel de Paris[22]. Tout comme en France, l'incitation à la
haine sous toutes ses formes publiques est désormais susceptible de poursuites légales en Grande-Bretagne.

---

20. «La lutte contre le "djihad médiatique" franchit un cap », *Le Point.fr*,
20 septembre 2013, [en ligne], http://www.lepoint.fr/ societe/la-lutte-contre-
le-djihad-mediatique-franchit-un-cap-20-09-2013-1733508_23.php   [dernière
consultation en mai 2014].

21. La revue *Inspire* est régulièrement en cause dans les procédures anti-
terroristes, notamment en France : elle était lue par une jeune femme inter-
pellée, en octobre 2013 dans le quartier de Belleville à Paris, pour avoir tenté
de nouer des contacts avec al-Qaida dans la péninsule arabique (AQPA) ; elle
a été saisie chez les membres de la cellule dite « de Cannes-Torcy » démantelée
en 2012. C'est aussi dans ses pages que les frères Tsarnaev, soupçonnés d'avoir
perpétré le double attentat du marathon de Boston le 15 avril 2013, s'étaient
renseignés pour fabriquer leurs bombes. Voir Jean-Noël Mirande, « Paris : une
femme soupçonnée de liens avec al-Qaida arrêtée », *Le Point.fr*, 1er octobre 2013,
[en ligne], http://www.lepoint.fr/societe/paris-une-femme-soupconnee-de-
liens-avec-al-qaida-arretee-01-10-2013-1737093_23.php [dernière consultation
en mai 2014].

22. «France : le cyber-jihadiste Romain Letellier, alias Abou Siyad al-Normandy, condamné à un an de prison ferme jugé », www.rfi.fr/ticker/contenu/
france-une-peine-3-ans-prison-requise-encontre-cyber-jihadiste-abou-siyad-
al-normandy, publié le 4 mars 2014 [consulté en mai 2014].

– Les finances de la radicalisation –

La radicalisation a une dimension subjective et inter-subjective, mais aussi économique et financière, dans la mesure où l'action menée sans l'aide financière de certains groupes ou États doit se cantonner à des niveaux plus ou moins faibles, l'argent permettant d'aquérir des armes plus meurtrières, donc de développer des opérations beaucoup plus étendues et plus violentes. Nous nous contenterons d'évoquer ici les finances jihadistes en raison de l'importance du mouvement, étant entendu que le même type de problèmes se pose dans les différents groupes d'extrême droite ou d'extrême gauche qui s'autofinancent souvent par le trafic de drogue, la prise d'otages ou encore le piratage.

On connaît le rôle des institutions de bienfaisance et des associations caritatives dans le financement d'al-Qaida ou d'autres groupes jihadistes, que ce soit en Occident ou dans des pays musulmans. L'une des tâches des services de renseignement a consisté à débusquer ces aides aux extrémistes déguisées en collectes de fonds charitables, une tâche que la guerre civile en Syrie a rendue encore plus complexe. La Syrie étant dirigée par une dictature alaouite, de nombreux sunnites, même s'ils n'appartiennent ni à al-Qaida ni à d'autres groupes islamistes radicaux, se sentent religieusement tenus d'aider ceux qui luttent contre le régime en place, lequel tue et bombarde de manière indiscriminée des civils, dans leur écrasante majorité sunnites. Or, dans la guerre contre le régime d'Assad, les laïques marquent le pas et ce sont de plus en plus les combattants islamistes radicaux qui prennent le dessus. Des groupes jihadistes comme Jabhat al-Nosra et quelques autres ont le vent en poupe, une dizaine de milliers d'étrangers luttant aux côtés des membres autochtones pour renverser le régime chiite déviant et lui substituer un régime islamique sunnite conforme à la vision jihadiste du néo-califat. En Arabie saoudite tout comme dans les Émirats, des donateurs franchissent le pas ; pour venir en aide à leurs frères sunnites exposés à la mort et à la torture, ils minimisent le caractère jihadiste de ces groupes et envoient leur contribution financière à des associations caritatives douteuses, dénoncées comme pro-jihadistes par les États-Unis. Deux personnalités du Qatar sont ainsi accusées par les services américains de lever des fonds pour les groupes jihadistes en Syrie : Nu'aymi, professeur d'université, ex-président de l'Association de football du Qatar, membre fondateur d'une importante association caritative et membre de la fondation Alkarama, et un autre membre de cette fondation, Humayqani, fondateur du parti Rashad Union et promoteur de la Conférence du dialogue national, la dernière organisation bénéficiant de l'assistance financière du gouvernement américain. Nu'aymi affirme que cette accusation est une riposte à ses critiques contre la politique américaine dans la région.

Des associations comme Madid Ahl al-Sham, qui collecte de l'aide pour la Syrie, ont été citées par les groupes jihadistes syriens comme dignes de leur confiance pour la collecte des fonds à leur destination[23].

---

23. Zarate (2013) ; Joby Warrick & Tik Root, « Islamic charity officials gave millions to al-Qaeda, U.S. says », *The Washington Post*, 23 décembre 2013, [en ligne], http://www.washingtonpost.com/world/national-security/islamic-charity-officials-gave-millions-to-al-qaeda-us-says/2013/12/22/e0c53ad6-69b8-11e3-a0b9-249bbb34602c_story.html [dernière consultation en mai 2014].

– Les lieux de radicalisation –

En dépit de la mondialisation, le local garde toute sa pertinence et la géographie demeure un facteur important,
reconfiguré par la Toile et les relations transnationales : selon
la période, tel pays, telle région, telle ville, tel quartier, voire
tel immeuble ou telle mosquée prennent un relief tout particulier dans la logique de la radicalisation. Exemple parmi
d'autres, la mosquée de Finsbury Park à Londres fut, dans
les années 1990 et au tout début du XXIe siècle, l'un des hauts
lieux de l'islamisme radical ; Abou Hamza, l'une des figures
charismatiques de l'islam jihadiste, y prêchait et ses sermons
ont influencé toute une génération de jeunes gens, dont certains se sont tournés par la suite vers la violence au nom de
la guerre sainte (voir O'Neill & McGrory 2006). De même,
le centre islamique Dar al-Hijrah en Virginie a été, pendant
les années 2000, un des hauts lieux de la radicalisation aux
États-Unis. Anwar al-Awlaki en était l'imam de janvier 2001
à avril 2002 et, par son charisme, il a su attirer des jeunes
vers la version radicale de l'islam. Ahmed Omar Abou Ali,
qui a aussi enseigné dans ce centre cultuel, a été condamné
en 2005 aux États-Unis pour complicité avec al-Qaida.
  Dans certains cas, des quartiers peuvent montrer des
signes de radicalisation quand se trouvent combinées

exclusion sociale et économique, ethnicité (origine ethnique et géographique des migrants ou de leurs descendants) et versions radicales de l'islam. En France, la ville et la banlieue de Lyon, en particulier Vaulx-en-Velin et le quartier des Minguettes à Vénissieux, ont été marquées par la récurrence de la radicalisation islamiste. Ainsi Khaled Kelkal, auteur notamment de l'attentat à la station Saint-Michel à Paris en juillet 1995, était originaire de Vaulx-en-Velin. De même, sur six Français détenus à la prison américaine de Guantanamo, deux venaient des Minguettes (Nizar Sassi et Mourad Benchellali). La région lyonnaise avait été dans les années 1980 le point de départ de la Marche des beurs pour l'égalité des droits des citoyens, et l'échec du mouvement a joué un rôle dans la radicalisation du secteur, tout comme, dans un autre registre, la situation stratégique de Lyon comme plaque tournante entre Paris, la Suisse proche et Marseille. L'islamisme radical a pu d'autant mieux s'incruster dans l'importante communauté d'origine algérienne de la région, à partir de la crise algérienne qui a suivi le coup d'État de l'armée en 1992, que la Marche des beurs avait échoué.

Lille et les villes alentour, notamment Roubaix, ont été aussi les lieux du développement du jihadisme en France, notamment avec le «gang de Roubaix», dont les membres ont multiplié les braquages violents dans la région Nord-Pas-de-Calais en 1996 et perpétré un attentat à la voiture piégée à l'occasion du sommet du G7 à Lille fin mars 1996. La bande, qui combinait islamisme radical et grand banditisme, était menée par deux Français convertis à l'islam, Christophe Caze, le chef présumé, et Lionel Dumont, respectivement étudiant en 5e année de médecine et fils de famille nombreuse, passionné d'action humanitaire. Les membres s'étaient rencontrés à la mosquée Archimède de Roubaix, où s'étaient noués des liens avec des musulmans ayant combattu en Bosnie dans les années 1994-1995, le rôle de l'islamiste algérien Abdelkader Mokhtari, surnommé Abou el-Maali, ayant été significatif dans leur engagement jihadiste[24]. Avec le «gang de Roubaix», des convertis apparaissaient pour la première fois sans ambiguïté comme acteurs jihadistes.

En Grande-Bretagne, on peut citer le cas du sud-est de Londres, surtout Brixton qui, depuis les années 1990, a vu l'émergence d'acteurs islamistes radicaux recrutés dans la plupart des cas parmi des communautés d'Antillais (Afro-Caribéens) pourtant majoritairement chrétiens[25]. Dans ce lieu géographiquement limité, l'islam des convertis a une nouvelle fonction : il est «la religion des opprimés», de ceux qui souffrent de la discrimination et de la ségrégation raciales, le message de l'égalité et de la dignité malmenée par le pouvoir «blanc». L'adhésion à l'islam permet en l'occurrence d'inverser les rôles : le Blanc, cet hérétique, devient le pôle du mal et le Noir croyant assume le pôle du bien.

On peut déceler une évolution dans les lieux de radicalisation, ne serait-ce qu'en raison de la vigilance accrue de la police. Alors que dans les années 1990 et au début des années 2000 en France la radicalisation s'effectuait dans les mosquées (ou les appartements servant de lieu de culte), quelquefois à l'insu même de leur direction – Farid Benyettou prêchant devant ses jeunes disciples plus ou moins en aparté à la mosquée Ad' Dawa à Paris –, elle doit

---

24. Claire Ané, «Avant Merah, peu d'islamistes avaient grandi et frappé en France», *Le Monde.fr*, 29 mars 2012.

25. Jonathan Githens-Mazer, «Why Woolwich Matters: The South London Angle», *RUSI Analysis*, 31 mai 2013, [en ligne], www.rusi.org/analysis/commentary/ref:C51A8860A58067/#.UaoXyut8OUc [dernière consultation en mai 2014].

aujourd'hui avoir lieu ailleurs, les services de renseignements surveillant de plus en plus étroitement les lieux de culte et la direction de la mosquée exerçant davantage de contrôle. À présent, c'est par Internet et la proximité spatiale (le groupe des copains) ou en prison (voir le chapitre à ce sujet), ou encore dans les associations de nature philanthropique ou par des voyages à l'étranger (notamment au Pakistan, au Yémen, en Égypte…), que des jeunes tentent de s'affilier à un groupe ou d'en constituer un.

Jusqu'au début des années 2000, Londres (Londonistan) était le lieu d'accueil privilégié pour des individus déjà radicalisés ou en quête d'affiliation à un réseau de jihadistes. Des islamistes radicaux maghrébins recherchés en France ou en Afrique du Nord y élisaient domicile pour échapper à la police. À présent, cette filière s'est en grande partie tarie, notamment sous la pression américaine après les attentats du 11 septembre 2001 et ceux de juillet 2005 (Londres). En Grande-Bretagne comme en France, le jihadisme opte de moins en moins pour la mosquée et de plus en plus pour la Toile ou pour les liens de camaraderie afin de s'organiser.

– Le rôle ambivalent de la frustration
dans la radicalisation –

On ne passe pas directement de la frustration à la radicalisation et il n'y a aucune relation linéaire de cause à effet entre l'une et l'autre.

Si les frustrations ne donnent pas automatiquement lieu à la radicalisation, elles peuvent néanmoins exercer une influence plus ou moins grande sur certains groupes d'individus, notamment les personnes mentalement fragiles. La complexité croissante des formes de sociabilité et l'anomie de la société moderne, mais aussi la disparité sociale et économique, éveillent chez certains groupes d'individus le sentiment qu'il existe une «humanité double»: celle qui est aisée et intégrée, celle qui est enfermée dans une précarité menaçant de basculer dans la pauvreté, voire la misère. Parallèlement, les médias dits sociaux décloisonnent les différentes parties du monde, souvent de manière fort complexe. Internet et des formes de plus en plus virtualisées de relations sociales peuvent aussi pousser à la déconnexion mentale et sociale, induisant des modes d'être qui, chez les plus fragiles, peuvent aboutir à des dérapages. Ces déficiences peuvent être exploitées par des «meneurs» qui mettent à profit la faiblesse croissante de ces exclus mentalement fragiles: de nombreuses études sur la base des statistiques existantes montrent qu'en Europe les radicalisés (surtout les jihadistes) se recrutent dans leur grande majorité parmi les exclus (Sageman 2008, Leiken & Brooke 2006).

Évidemment, lorsqu'on est psychologiquement fragile, la tendance «paranoïaque» pousse à interpréter de manière disproportionnée les faits liés à l'insuffisance de moyens, au racisme ou à la ghettoïsation, et à attribuer les manques et les dysfonctionnements à une volonté délibérée de nuire au groupe particulier dont on fait partie (les musulmans, les Français «de souche», les juifs, ou encore les Noirs…). L'individu esseulé, fragilisé ou «virtualisé», en distordant les faits à l'origine de sa frustration et en les magnifiant sous une forme pathologique, les rend responsables de sa misère et de celle de son groupe ; il cherche, souvent au nom d'une communauté imaginaire dont il se croit le porte-parole, à en tirer vengeance et à «faire payer» la société entière. On passe de la lutte sociale à des formes d'antagonisme identitaire et infra-social.

L'accumulation des frustrations, surtout lorsqu'elles se concentrent sur des domaines touchant l'islam, peut avoir des effets sur la radicalisation de certains individus qui n'en ont pas, au début du processus, une connaissance nécessairement étendue. Comme on le sait, la radicalisation islamiste ne requiert pas une connaissance exhaustive de la religion d'Allah, du moins au début de l'adhésion. La plupart du temps, c'est *après* la radicalisation que l'adepte est pris du désir d'approfondir l'islam dans sa version jihadiste. En France, ce phénomène est visible autant dans les banlieues qu'en prison, les nouvelles générations issues de l'immigration maghrébine étant profondément «désislamisées» avant leur conversion à des versions radicales de la religion d'Allah. Comme je l'ai constaté sur le terrain[26], ce n'est pas

---

26. Voir Khosrokhavar (1997). Ce constat, vrai il y a une quinzaine d'années, l'est toujours à présent : mis à part une petite minorité de salafistes qui s'imprègne de la version wahhabite de l'islam, la grande majorité des jeunes ignore quasiment tout de la religion d'Allah et de son passé.

une connaissance préalable profonde de l'islam qui induit la radicalisation religieuse dans les banlieues, mais bien au contraire une inculture profonde qui provoque un effet de crédulité accentuée, une forme de naïveté résultant de la méconnaissance voire de l'ignorance de l'islam qui joue en faveur de l'extrémisme religieux. La «haine» portée par le jeune homme des quartiers d'exclusion à la société se transpose d'autant plus aisément dans le registre de la religiosité radicale qu'il a été moins versé dans l'islam et identifie volontiers le *jihad* à la lutte anti-impérialiste, le *taqut* aux régimes politiques séculiers, ou encore la *jahiliya* à la démocratie ou à tout système politique non conforme à la théocratie islamique qu'il appelle de ses vœux sans en connaître nécessairement les tenants et les aboutissants. Plus globalement, les frustrations, qui en majeure partie ne sont pas de nature religieuse, sont susceptibles de se transcrire dans un répertoire religieux à même de leur conférer une signification sacrée, poussant certains vers des formes de révolte pouvant aboutir au jihadisme. L'engagement occidental dans la guerre en Afghanistan, en Irak mais aussi dans d'autres pays musulmans (l'armée française au Mali) crée chez ces jeunes le sentiment que l'islam est attaqué par des puissances chrétiennes ou athées et que sa défense est un devoir religieux impérieux (*fardh al ayn*). Ce sentiment d'allégeance à un monde islamique quelquefois très éloigné montre aussi combien le sentiment national est fragile chez cette génération qui vit mal sa ségrégation dans des banlieues ou des quartiers pauvres, sa précarité, son rejet par la société – un rejet amplifié par l'imagination et auquel est prêté un caractère volontariste et une intention anti-islamique systématiques loin d'être objectivement avérés.

– Le modèle européen de radicalisation –

Même si la radicalisation se diversifie de plus en plus, son expression écologique ou anti-avortement ou contre le mauvais traitement des animaux est rare en Europe. Ses modèles les plus prégnants sont encore l'islamisme politique et, en second lieu, la droite extrémiste (les skinheads radicalisés, les différents groupes opposant l'identité européenne aux musulmans, le loup solitaire à la Anders Breivik…).

La radicalisation n'atteint pas les générations de la même manière. Il y a un âge optimal, qui se situe entre une quinzaine et une quarantaine d'années pour la grande majorité de ceux qui adhèrent à l'action violente en se fondant sur une idéologie extrémiste. Passé cet âge, certains (par exemple parmi ceux, radicalisés dans les années 1990, qui ont joué un rôle moteur dans l'attentat à la station Saint-Michel en 1995 à Paris) s'assagissent plus ou moins et déclarent vouloir renouer avec une vie normale ou mettre fin à des actions violentes qu'ils jugent de plus en plus irréalistes, sans renoncer nécessairement à leur idéologie extrémiste. D'autres continuent à adhérer à l'action violente ; on sent alors souvent chez eux une peur du « déclassement », car après plusieurs années de prison et d'isolement, ils savent bien qu'ils n'ont plus leur place dans les nouvelles constellations terroristes et que tout en étant respectés, ils sont de fait marginalisés à cause de leur âge. Les quelques gauchistes et surtout les jihadistes entrant dans la cinquantaine «vieillissent mal»: ils persistent à se maintenir dans leur camisole de force idéologique et nourrissent pour la plupart l'idéal de l'action violente sous-tendue par une idéologie toujours aussi radicale. Au moins en Europe, ceux qui sont passés par la prison – j'ai pu en rencontrer une douzaine – montrent un déni de vieillissement autant qu'une stabilité idéologique. Il serait tragique pour eux d'avouer leur échec à prôner la révolution prolétarienne (pour l'extrême gauche) ou le néo-califat (pour les tenants du jihadisme).

Chez les jeunes ou chez ceux qui sont au-dessous de la quarantaine, on note des formes de raidissement: ils entendent «se venger» d'une société injuste, leur conviction demeurant inébranlable quant à la nécessité de l'action violente contre un pays et un État complices des forces anti-islamiques. Les clivages d'âge que l'on observe à l'extérieur de la prison se retrouvent plus ou moins à l'identique à l'intérieur: les tenants les plus redoutables de la radicalisation ne sont pas les grands-pères ni les pères, mais les fils, surtout après l'identification des tendances radicales chez les pères par les services de renseignement. Dans les nouvelles générations en Europe, les jihadistes sont en majorité (mais pas en totalité) des jeunes dont le parcours a été chaotique (délinquance, puis raidissement idéologique) et qui cherchent dans l'action radicale une identité qu'ils n'ont pas pu trouver autrement. Le jihadisme est un acte de «recouvrement d'identité», d'unification de soi, dans une société où l'identité est multiple (dimension positive) mais aussi éclatée (dimension négative). Surtout pour des jeunes qui vivent dans des quartiers d'exclusion, le jihadisme est certes attirant par sa dimension anti-sociale (la haine de la société se transcrit dans un registre sacré), anti-domination (on ressent la domination sociale, mais au lieu d'adopter une logique d'action qui la remette en cause dans la durée et de manière constructive, on opte pour la solution radicale, à court terme, pour en découdre avec un ordre qui devient, dès lors, «hérétique», «mécréant» et diabolique), mais il ne se réduit pas pour autant à des dénégations. La dimension «positive» réside dans la promotion de soi en tant qu'individu à identité «unifiée» (voire ossifiée, compte tenu de la cohérence extrême d'une vision qui exclut et anathématise tout ce qui s'oppose à ses visées), dans la perception héroïque de soi (on devient un héros en épousant la logique du martyre et du jihad selon sa version extrémiste, et en faisant de la couverture médiatique un élément fondamental dans son identité), dans l'affirmation de soi comme quelqu'un qui compte, dans la fierté d'inspirer la peur quand auparavant on inspirait le mépris ou le rejet arrogant des «Blancs» (c'est-à-dire de ceux qui ont réussi, y compris les «Arabes» des classes moyennes). L'islamisation radicale procède de l'interne (situation de précarité extrême et d'anomie sociale des jeunes), mais aussi de l'externe (l'événement tel qu'il se déroule en dehors des frontières trouve des relais pour se transmettre aux acteurs jihadistes potentiels par Internet, mais aussi par des personnalités charismatiques ou des associations plus ou moins clandestines) selon une logique mondialisée qui dépasse souvent le cadre national.

Le Petit Blanc

Le Petit Blanc (Patricot 2013), ou «le Blanc merdeux» comme disait un jeune délinquant d'origine immigrée, est celui qui est en bas de l'échelle sociale, qui se sent méconnu dans sa misère économique et sociale et voué à un double mépris: mépris silencieux de la part des «vrais Blancs», c'est-à-dire ceux qui sont économiquement et socialement intégrés, mais aussi agressivité mêlée de rejet (donnant le sentiment que l'on n'est plus chez soi) de la part des jeunes des banlieues, qui ont un sentiment très ambivalent à son égard quand il vit dans le même quartier qu'eux.

Les Petits Blancs se méfient des «Arabes», qui monopolisent à leurs yeux l'attention des pouvoirs publics et occultent par leur révolte bruyante l'indignité silencieuse dans laquelle ils se sentent enfermés. Ils se sentent muettement «racialisés» par les élites républicaines et par une population qui les regarde de travers ou, pire encore, ne les voit pas, tant la pauvreté est, dans l'esprit des gens, le lot exclusif des banlieues et des immigrés. Ce mépris par méconnaissance ou ignorance de la part de la société leur donne l'impression qu'ils n'existent pas à proprement parler. Dans leur immense majorité, les Petits Blancs mènent leur vie dans l'anonymat de la pauvreté et des difficultés économiques quotidiennes, sans tapage ni révolte publique, avec une sombre résignation. Ils subissent leur sort comme un destin, s'en indignent dans leur for intérieur, mais ne le donnent en général pas à voir, même politiquement. Une partie d'entre eux adhère au Front national, qui se substitue au parti communiste jadis défenseur des gens d'en bas; le Front national rehausse l'image de soi du Petit Blanc, lui redonnant confiance dans sa vie et lui proposant un avenir où il regagnerait sa dignité dans une France enfin reconquise par les Français. Une autre partie, somme toute réduite, se tourne vers des groupes extrémistes violents, ou encore vers des groupes islamistes radicaux, en se convertissant à la religion d'Allah. L'attitude du Petit Blanc peut ainsi aller de la solitude dans une douleur muette à la vocifération au sein du Front national ou à l'adhésion au jihadisme. Dans les deux derniers cas, une revanche se donne pour possible, le Front national restituant au Petit Blanc la faculté de reconquête de sa place dans une nouvelle France débarrassée des étrangers indésirables, et le jihadisme lui offrant l'opportunité de se venger de ces Blancs qui l'ont toujours méprisé.

Parmi les Petits Blancs, ce sont des groupes minoritaires qui se radicalisent. Notre analyse porte donc sur eux et s'intéresse à leur univers mental et à leur subjectivité comme éléments clés de leur radicalisation. Le rapport symbolique triangulaire entre le « Blanc », le « Petit Blanc » et l'« Arabe » (représentant l'étranger non intégrable) donne en grande partie la clé de la radicalisation du Petit Blanc, que ce soit dans le sens de la violence extrémiste laïque (groupes radicaux d'extrême droite) ou religieuse (l'islamisme radical).

Pour les jeunes « Arabes », le « Blanc merdeux » représente le contre-modèle du vrai Blanc qu'ils détestent et qu'ils envient. Étant moins que rien, souvent encore plus bas qu'eux dans l'échelle de la dégradation sociale et économique, ce Blanc misérable va à l'encontre de l'image d'Épinal qu'ils se font du Blanc : il est économiquement moins pourvu qu'eux, souvent il n'a même pas les ressorts qu'ils ont dans le quartier, à savoir la solidarité de groupe, un système informel d'entraide et, chez une partie des « Gris » (les jeunes d'origine immigrée, vivant dans les « mauvais quartiers »), une capacité d'action déviante qui leur apporte un surplus économique et de la considération sociale, au moins dans les quelques pâtés d'immeubles où ils se sentent chez eux. Ceux que certains appellent la « caillera » (la racaille) parviennent à arrondir leurs fins de mois grâce à l'esprit de bande et la connaissance fine des formes plus ou moins complexes de délinquance dans le quartier. Le Petit Blanc, lui, est démuni, ne bénéficiant pas de la solidarité qu'il cherche soit dans un groupe du type skinhead soit dans celui des Arabes. Ou encore, vivant seul en marge des grandes villes, il finit quelquefois par se clochardiser, méconnu des autres et rejeté par sa famille ou ses anciennes connaissances. Le Petit Blanc trouble l'image idéalisée du Blanc que le jeune Arabe ghettoïsé a appris à haïr pour son arrogance, sa suffisance et sa bonne conscience tout en l'enviant pour son existence soi-disant comblée : inférieur au lieu de supérieur, refoulé dans l'indignité au lieu de se sentir un citoyen de plein droit, il rend l'envie impossible et du même coup la haine du Blanc sans objet. C'est pourquoi il inspire non pas de la sympathie, mais du mépris mêlé de dépit. Loin de lui témoigner de la compassion à cause de son statut inférieur, l'Arabe lui en veut souvent de ne pas être à la hauteur du profil du Blanc qu'il déteste.

Le Petit Blanc, de son côté, ne se sent pas chez lui dans les zones où il vit et où il croit être doublement rejeté et méprisé. Habitant souvent dans des zones où des jeunes d'origine immigrée, délinquants ou islamisés ou les deux à la fois, le narguent par leur seule présence dans le quartier et leur culture banlieusarde, il peut être tenté par l'extrémisme – extrémisme de droite pour combattre l'Arabe ou islamisme radical pour combattre le Blanc. S'il est trop désespéré pour agir, il se replie sur lui-même, s'enfermant dans une vie de solitude et d'indignité intériorisée qui le rend progressivement inapte à s'assumer, se clochardisant ou s'abandonnant à un mal-être lancinant. Il développe alors un racisme qui est la conséquence de son malaise dans un monde où il n'a pas sa place, une réaction à l'agressivité des jeunes Arabes qu'il croit assistés et soutenus par l'État à coup d'aides aux familles nombreuses, d'assistance au chômage, etc. quand lui est ignoré et réduit à une infériorité qu'on lui impose comme effet indirect de mesures sociales à ses yeux désavantageuses. L'image sociale que le Petit Blanc a de lui-même, de l'Arabe et du Blanc intégré lui fait mal. Il y a une haine refoulée chez le Petit Blanc, que ce soit dans les quartiers périphériques, en banlieue ou en prison : ne se sentant plus chez lui, il réclame le retour à l'ancien ordre des choses qui exclurait les Arabes et lui restituerait une dignité que les uns et les autres lui ont dérobée. Mais qui lui dénie sa dignité ? Certes, l'immigré et ses descendants, mais aussi le Blanc tout court qui le dédaigne et l'écrase de son mépris quelquefois apitoyé, souvent dissimulé dans l'indifférence ou tout simplement dans l'ignorance du fait qu'il existe. Pour le « Blanc tout court », le Petit Blanc n'existe pas, ou bien comme déchet social, clochard, client des Restos du cœur, quémandeur, bref, il est l'individu à problèmes que l'on tente d'éviter ou que l'on aide chichement tout en le maintenant à distance. Dès lors, le Petit Blanc se radicalise, en partie pour tirer vengeance. Il peut le faire dans le sens de l'adhésion à des groupes violents d'extrême droite qui « cassent de l'Arabe » et trouvent une raison d'être dans leur haine farouche des immigrés qu'ils pensent leur être culturellement inférieurs mais socialement supérieurs, autant dans leurs formes de sociabilité que dans leur mode de vie (ils mènent une vie meilleure grâce à l'aide sociale qu'ils reçoivent et au produit de leur délinquance). Le racisme chez les Petits blancs se vit comme une conscience malheureuse, ainsi que l'exprime ce jeune mis en prison pour violence aggravée dans une métropole du Nord :

> – On trouvait nos copains pour tabasser les Arabes qu'on rencontrait par hasard dans les petites rues près de la gare, quand ils étaient seuls ou sortaient avec des filles. On se vengeait d'eux.
> QUESTION. – Pourquoi les Arabes ?
> RÉPONSE. – Ils nous prennent notre boulot, nos filles, nos aides sociales et en plus, ils nous narguent, ils nous en veulent et cherchent à nous imposer leur religion et leur façon de vivre et de voir les choses. Quelquefois ils viennent en groupe pour nous faire la guerre.

Les jeunes Arabes, pour leur part, développent un contre-racisme qui sert de justification à leur mode d'action violente contre la société et à leur délinquance (en prison, ils évoquent souvent lors des entretiens la discrimination qu'ils subissent du fait de leur origine, de leur accent ou de leur vie dans les mauvais quartiers). Il s'agit en l'occurrence de contre-racisme parce que c'est l'effet induit par un type de société qui marginalise, exclut et dénie la dignité aux citoyens de second ordre dans un ni/ni qui écorche leur identité : ils ne sont ni français (en France), ni arabes (en Afrique du nord), étant «sale Arabe» en France et «sale Français» dans le pays de leurs parents. Quant au Petit Blanc, son racisme est induit par sa situation sociale, pas par une haine radicale de l'Arabe ou des autres : doublement infériorisé, il recompose par son racisme symbolique une image de soi qui est profondément entamée par l'érosion de son identité. Lui aussi souffre, mais sous une forme différente du ni/ni : il n'est ni « Français bien né » (Blanc de classe moyenne) pour avoir une vie normale de citoyen, ni Arabe pour bénéficier de l'aide sociale. Il est écrasé des deux côtés, un peu comme l'Arabe qu'il déteste mais dont il partage en partie l'exclusion sociale et économique en lui donnant néanmoins une autre coloration affective : il ne se sent plus chez lui, il est comme l'exilé de l'intérieur, inexorablement marginalisé et dédaigné dans ses revendications par les politiques, de droite comme de gauche. Il joue sa revanche, on l'a dit, sur deux fronts distincts, voire antagoniques : il peut s'intégrer dans un groupuscule d'extrême droite et afficher une appartenance à ce groupe (il n'est plus seul et abandonné), se fixant comme but la lutte contre l'Arabe ; il peut tout aussi bien se convertir à l'islam, faire cause commune avec «l'Arabe» contre le «Blanc tout court». Dans ce cas, la trajectoire de sa radicalisation rejoint celle du jeune musulman d'origine immigrée, même si elle s'en distingue par le choix qui lui a été offert à l'origine. Mais le Petit Blanc, dans sa haine de l'Arabe, et plus généralement, du musulman, peut se radicaliser aussi dans un troisième sens original : tout en maintenant son identité «européenne» et en adhérant à une vision d'extrême droite, il peut tuer des Blancs pour les «éveiller» à la menace du musulman qui pèse sur eux – ce fut le cas du Norvégien Anders Breivik.

Quoique souvent précarisé, le Petit Blanc peut aussi appartenir aux classes moyennes et adopter des réflexes de radicalisation par le truchement de son imaginaire. On sait bien que le vote Front national, surtout dans certains départements du nord-est de la France, dans les petites villes ou les zones rurales, n'est pas lié à une présence massive des Arabes, mais à une forme de crainte qu'ils inspirent et que transposent dans leur monde imaginaire ceux qui redoutent le déclassement social ou la perte de leur identité. Dans un imaginaire agressé, la subjectivité de droite extrémiste se vit selon le modèle de la «victimisation» (l'Europe victime des musulmans), le sens de la réalité focalisé sur «l'ennemi islamique» qu'il faut combattre à tout prix pour préserver son identité européenne (norvégienne dans le cas de Breivik), la violence devenant dès lors légitime (ce qui distingue cette identité de celle de l'électorat principal du Front national qui ne prône pas publiquement la violence physique). La vie moderne rend possible ce changement de registre dans l'imaginaire : le Blanc peut basculer dans l'identité du Petit Blanc par l'autoradicalisation, c'est-à-dire par l'usage d'Internet et par l'auto-endoctrinement, sans avoir à assumer la condition socioéconomique du Petit Blanc précaire et marginal. Par le passé, l'intellectuel bourgeois pouvait devenir par sympathie le soutien du prolétariat, mais son adhésion était sous-tendue par une vision rationnelle. À présent, on peut se transporter dans l'univers de l'autre, y séjourner et s'y établir, sans que ce transfert procède d'autre chose que du pur imaginaire. Le Petit Blanc, vrai ou faux, peut mettre à mal ou à mort d'autres Blancs pour tirer la sonnette d'alarme et prévenir la catastrophe qu'il croit percevoir dans sa vision apocalyptique du monde marquée par la perte d'identité européenne et la soumission à l'islam.

Extrémisme de droite ou jihadisme, ces deux formes de radicalisation permettent au Petit Blanc de se réinsérer : l'anomie de sa condition précaire est combattue par son appartenance à un groupe qui le sauve de l'isolement et surtout lui rend sa dignité. Le plus souvent cependant, il sombre dans un désespoir muet qui le fait enrager de l'intérieur sans trouver d'issue dans l'action.

L'islamiste radical

La combinaison de deux facteurs pousse à la radicalisation : les conditions de vie dans le «ghetto» (Lapeyronnie 2008) des banlieues françaises ou des *poor districts* de Grande-Bretagne, doublées d'un sentiment de déshumanisation intense qui donne à la personne la conviction désespérée que toutes les portes lui sont fermées et que son horizon est définitivement bouché. Ce sentiment est l'exacerbation subjective d'une réalité cruelle faite de préjugés sociaux et de racisme plus ou moins diffus mais moins radicalement excluante que ne le prétend l'individu «victimisé» – après tout, de nombreux Français d'origine nord-africaine réussissent leur vie en France, rejoignent les classes moyennes et rompent avec le cercle vicieux de l'appauvrissement, de la délinquance et de l'emprisonnement. N'empêche, à l'arrière-plan de la subjectivité radicalisée en Europe et tout particulièrement en France, plane le fantasme de l'enfermement dans un monde clos et déshumanisé sans espoir de sortie. Tant que ce sentiment n'est pas rattaché à une idéologie, il se traduit soit par la délinquance (moyen de s'en sortir en bafouant les lois d'une société qui vous dénie le droit à la dignité et en rejoignant les classes moyennes dans le consumérisme), soit par un sombre désespoir qui s'exprime souvent par un excès d'agressivité. Dans ce dernier cas, le moindre regard du «Blanc» peut entraîner une violence totalement disproportionnée de la part du «Gris», et tous ceux qui portent l'uniforme – les policiers, les gendarmes, les contrôleurs de la RATP, même les sapeurs-pompiers – sont considérés comme des ennemis en tant qu'agents de l'État ou symboles de réussite sociale et de vie réglée. Ce mélange de désespoir, de rancœur et de ressentiment, les jeunes l'appellent «la haine» et des sociologues, la rage (Dubet 2008 [1987]). C'est lorsqu'elle trouve un support idéologique et se sacralise que la haine va au-delà de la simple agressivité et de la délinquance pour se radicaliser. Désormais, on ne cherche plus à s'en tirer individuellement, mais à sauver l'islam et les musulmans dont on devient le porte-parole autoproclamé, luttant frontalement contre un monde «impie» et «idolâtre» en tant que chevalier de la foi. La transposition dans le registre religieux se fait en Europe avec d'autant plus de facilité que la personne est ignorante de l'islam et que sa méconnaissance lui ouvre les perspectives d'une identification aisée avec la religion d'Allah par l'unique registre du jihad. La version violente du religieux légitime la guerre contre un ordre social dans lequel on ne s'est jamais senti comme les autres, toujours infériorisé, «comme un insecte» disait un jeune de banlieue, rejeté des uns et des autres et à son tour les rejetant dans une forme d'agressivité devenue partie intégrante de l'identité.

Quelques exemples peuvent illustrer cet état de fait. En Grande-Bretagne, dans les communautés antillaises, des individus mais aussi quelquefois des groupes de jeunes se convertissent à l'islam et adhèrent à une version belliqueuse de la religion d'Allah. Tel est le cas de Abdullah al-Faisal (connu sous le nom de Faisal al-Jamaikee, Faisal le Jamaïcain), qui s'est converti et a assumé le rôle d'un prêcheur autoproclamé. Il cite dans ses sermons les versets du Coran, mais aussi les propos de Marcus Garvey, le leader jamaïcain dénonçant l'hégémonie de l'homme blanc et prônant le retour des Noirs en Afrique. Il tente de mobiliser les Noirs au nom de la justice islamique contre l'iniquité des Blancs, ces non-musulmans qui oppriment les musulmans et les Noirs. Dans certains de ses prêches, il en appelle au meurtre des non-musulmans, ce qui lui vaut d'être condamné à la prison en 2003 (as-Salafi & al-Ashanti 2011 ; Baker 2011). Pour lui l'islam est l'instance qui permet de dénoncer l'injustice du Blanc contre le Noir, son hégémonie injustifiée. L'islam est la religion des opprimés qui ne peuvent rompre le cercle vicieux de l'oppression que par la guerre déclarée contre les Blancs impies.

Le cas de Zacarias Moussaoui est aussi symptomatique à sa façon. Né en 1968 en France de parents marocains, il vit avec sa mère après le divorce de ses parents. Celle-ci tente d'élever ses quatre enfants en rupture avec leurs racines marocaine et islamique, « à la française », ne serait-ce que pour accélérer leur intégration. Zacarias boit de l'alcool, sort avec une fille d'origine pied-noir sans l'épouser, a des amis juifs et n'hésite pas à fumer du shit par moments. Il ignore tout de l'islam. Après son baccalauréat, il finit par décrocher un BTS technico-commercial en 1990. C'est à partir du début des années 1990 qu'il commence à ressentir un malaise identitaire et se met en quête de ses racines dans l'islam. Il fréquente la mosquée de Montpellier et, en 1992, part à Londres parfaire son anglais après avoir obtenu un DEUG d'administration économique et sociale à l'université Paul-Valéry de Montpellier. À cette époque, Londres – Londonistan pour les islamistes – est l'une des bases où les islamistes peuvent tisser des liens et former des projets en bénéficiant de la tolérance du gouvernement anglais.

Moussaoui est influencé par les sermons d'Abou Hamza, l'imam de la mosquée de Finsbury Park, et par ceux d'Abou Qatada. Il tisse avec les islamistes radicaux des liens joignant l'affectif et le matériel (ces derniers l'aident financièrement), dans un contexte géopolitique où les maux qui assaillent le monde musulman en Bosnie, en Palestine, en Algérie où sévit la guerre civile, etc. sont attribués à l'Occident et en particulier aux États-Unis. Il voyage en Afghanistan où il fait la connaissance de Khaled Cheikh Mohammed, le cerveau des attentats du 11 septembre, mais son caractère fantasque suscite la méfiance et il est marginalisé. Son départ en février 2001 pour les États-Unis où, financé par les extrémistes islamiques, il s'inscrit pour apprendre à piloter, éveille les soupçons des autorités et il est incarcéré le 16 août de la même année, avant l'attaque des tours jumelles. Il est condamné en mai 2006 à la prison à vie. Pour lui, l'islam comme antidote à son malaise identitaire ne peut se développer que dans la guerre ouverte contre l'Occident, terre d'impiété et de domination.

Mohamed Merah, le « tueur au scooter », agit plus d'une décennie après Moussaoui selon une vision idéologique semblable. En mars 2012, il tue 7 personnes et en blesse 6 autres à Toulouse et à Montauban, 3 enfants juifs figurant parmi ses victimes.

Un regard sur l'anthropologie de sa famille rend intelligibles (sans expliquer de manière irréfutable ni permettre de dresser un « profil ») son inclination pour la rupture avec la société et son absence de sens moral vis-à-vis de ses victimes, notamment les trois enfants juifs qu'il a mis à mort de sang-froid, après son adhésion à l'extrémisme religieux. Merah, comme Moussaoui, est issu d'une famille d'origine immigrée où la mère se retrouve seule pour élever ses enfants. Son père a une vision fanatique sinon radicale de la religion, ainsi que sa mère, son oncle maternel Hamid et un mentor qui aurait joué un rôle d'idéologue, un Franco-Syrien qu'incrimine Abdelghani Merah, le frère de Mohamed, dans un ouvrage écrit en collaboration avec un journaliste (Merah & Sifaoui 2012). À cela il faut ajouter l'autre frère Abdelkader et l'une de ses deux sœurs, Souad, qui ont une conception islamiste de la religion. La famille, composée de deux sœurs et trois frères, est profondément marquée par la délinquance de ses membres : le père est mis en prison en France pour trafic de cannabis ; le frère aîné, Abdelghani, est condamné à une courte peine de prison ; le cadet, Abdelkader, est interpellé pour violence et trafic de stupéfiants avant sa majorité et connaît ensuite la prison pour violence sur son frère aîné marié à une femme juive. Il séjourne dans des écoles religieuses salafistes au Caire où il étudie en 2010 le Coran avec Souad, sa sœur. Celle-ci est poursuivie par la justice égyptienne pour parjure. Mariée avec un trafiquant de drogue, puis remariée avec un salafiste, elle est désignée par les services de renseignement français comme une «adepte de l'islam radical[27]». Souad a donc séjourné en Égypte en 2010 pour étudier l'islam et apprendre l'arabe, la langue du Coran. Elle professe une vision de l'islam où l'action violente, de la part des autres adeptes, lui paraît légitime, même si elle n'y a pas elle-même recours (dans un entretien avec son frère Abdelghani filmé à son insu, elle se déclare fière de l'action de Mohamed). Sa sœur Aïcha et son frère Abdelghani ne souscrivent pas à l'islam radical et se sentent éloignés de leurs deux frères et de leur sœur aînée. Mohamed Merah, le benjamin de la famille, naît dans une famille désunie où

---

27. Quelquefois, les services de renseignement désignent ainsi l'adhésion à l'islam fondamentaliste des salafistes qui rejettent la société laïque sans adhérer à l'action violente.

règne un climat de violence conjugale et d'intolérance au nom du religieux. Il est souvent laissé seul par sa mère et à l'âge de 6 ans, il est placé dans une famille d'accueil, puis transféré dans un foyer. Instable, triste, sujet à des crises de violence, il se trouve en situation d'échec scolaire. Il est souvent pris à partie par son frère Abdelkader et est victime de ses violences. Lui-même trouve l'occasion d'exercer sa propre violence contre ceux qui font obstacle à la réalisation de ses désirs : en 2002, il frappe au visage une assistante sociale parce qu'il ne peut pas passer le week-end en famille. Il agresse les filles, maltraite les éducateurs, vole, insulte. Même sa mère se plaint de sa violence. Il multiplie les actes illégaux et essuie en tout 14 condamnations avant sa majorité. Il fait partie d'une bande qui organise un « home-jacking » en 2007 à bord d'un 4 x 4 volé : roulant à 180 kilomètres à l'heure, il échappe à la police, non sans avoir percuté le véhicule de la gendarmerie, blessant un sous-officier et un réserviste volontaire[28]. Il en est fier, car le film de la poursuite est passé à la télé. Pour lui, la violence a trois dimensions : la dimension réelle, qu'il vit en relation avec les autres à qui il l'impose sans le moindre regret en raison de sa double allégeance jihadiste mais aussi délinquante, l'une justifiant et renforçant l'autre ; la dimension symbolique, qu'il vit dans son imaginaire en pratiquant des jeux vidéos violents ou en

---

28. « Exclusif – Transcription des conversations entre Mohamed Merah et les négociateurs », *Libération*, 17 juillet 2012, [en ligne], http://www.liberation.fr/societe/2012/07/17/transcription-des-conversations-entre-mohamed-merah-et-les-negociateurs_833784 [dernière consultation en mai 2014]. Adrien Oster, « Un livre et une enquête diffusée sur M6 révèlent les questions soulevées par Abdelghani Merah, frère de Mohamed », *Le Huffington Post*, 10 novembre 2012, [en ligne], http://www.huffingtonpost.fr/2012/11/09/mohamed-abdelghani-abdelkader-souad-merah-frere-terroriste-enquete-exclusive_n_2098875.html [dernière consultation en mai 2014].

se repassant des films comme *Faster*, sorti en 2011, ou ces films de guerre et de destruction qui le fascinent ; enfin une dimension extatique qui le grise, lui faisant oublier la peur de la mort et effaçant chez lui toute mauvaise conscience. Son adhésion à l'islam radical qui exalte le martyre comme garantie d'une vie de bonheur éternel dans l'au-delà le rend insensible au risque de mourir. Il attribue à Dieu le fait d'avoir échappé aux forces de l'ordre dans sa course-poursuite en 4 x 4 : son entreprise procède désormais du sacré autant que d'une aventure où son Moi transporté de joie se sublime en tant que « héros négatif » (voir plus bas). Cette dernière dimension fait naître chez lui comme une sous-culture de la violence, qui rend « naturelle » la brutalité et caduc le contrat social de non-violence physique vis-à-vis de ses concitoyens. La dimension extatique se renforce narcissiquement par le recours à l'image filmée. Tout au long de ses crimes, Merah porte autour du cou une caméra GoPro ; il destine ses films à l'audience mondiale d'Al Jazeera (la chaîne refuse de les diffuser). L'image fait partie intrinsèque non seulement du crime, mais aussi de l'identité de celui qui se met dans la peau des « moudjahidin » (ceux qui font le jihad) et tue prétendument pour sauver l'islam. Elle glorifie le héros négatif, celui qui se rehausse dans son estime au prorata de la haine qu'il inspire à la société.

Merah a visité de nombreux pays comme le Pakistan mais aussi l'Égypte, la Syrie, le Liban, la Jordanie, le Tadjikistan, l'Afghanistan… Il cherchait à entrer en contact avec al-Qaida, et avait envoyé quelque 186 SMS dans de nombreux pays étrangers entre septembre 2010 et février 2011[29].

---

29. « Nouvelles révélations : Merah n'était pas un "loup solitaire" », *La Dépêche.fr*, 23 août 2012, [en ligne], http://www.ladepeche.fr/article/2012/08/23/1424173-nouvelles-revelations-merah-n-etait-pas-un-loup-solitaire.html [dernière consultation en mai 2014].

Sa connaissance plutôt rudimentaire de l'arabe et la méfiance des organisations avec lesquelles il essayait de se lier l'auraient poussé à agir seul, du moins dans les meurtres qu'il a commis. Des associations comme Forsane Alizza l'ont certes influencé, mais il a perpétré seul l'acte criminel.

Merah, Moussaoui et plusieurs autres ont en commun une famille désorganisée, le cumul de griefs réels et imaginaires contre la société, la volonté d'en découdre avec elle sur fond de délinquance, le sentiment de profonde injustice sociale doublé de déni d'identité (ni Français ni Arabe). La radicalisation jihadiste est dès lors vécue comme une façon de surmonter l'indignité et de s'enraciner dans le sacré. Ce type d'identité est antagonique à la société et a pour conséquence la légitimation de la violence absolue contre les autres sur la base de la victimisation (je suis victime absolue d'une société qui m'a totalement exclu, ce qui m'autorise à être tout à fait immoral à son égard).

Le jeune victimisé

En Europe, et en particulier en France, la présence massive des musulmans est liée aux tentatives d'industrialisation du vieux continent à partir du début des années 1960. Le besoin d'une main-d'œuvre non spécialisée pour assurer le développement économique de pays ravagés par deux guerres mondiales a poussé les autorités à encourager l'immigration. Les différents pays européens se sont naturellement adressés à leurs (ex-)colonies ou aux pays les plus proches, ou encore avec qui ils avaient des liens culturels pour trouver la main-d'œuvre nécessaire : l'Afrique du Nord pour la France, l'Inde et le Pakistan pour la Grande-Bretagne, la Turquie pour l'Allemagne. Il s'est trouvé qu'une grande partie de cette main-d'œuvre était de religion musulmane. Après trois générations, une partie importante des enfants et des petits-enfants de ces ouvriers non spécialisés, bien qu'ayant la nationalité du pays d'accueil de leurs parents, vivent dans des conditions de grande pauvreté, voire d'exclusion sociale. Même si une partie de cette génération parvient à rejoindre les classes moyennes et à s'intégrer économiquement, une autre partie, numériquement importante, est laissée dans une situation de précarité mais aussi de déni de citoyenneté que des sobriquets comme « Paki » en anglais ou « Arabe » ou « Bougnoule » en Français donnent à entendre. Ce phénomène est surtout masculin (les filles, tant qu'elles ne portent pas le foulard, sont beaucoup plus aisément acceptées que les garçons en France) et assorti d'un certain nombre de caractéristiques comme un taux de chômage beaucoup plus élevé que dans la société globale et la concentration dans des quartiers ayant mauvaise réputation, où la ségrégation sociale est importante et le niveau de vie très inférieur à la moyenne nationale, où la délinquance est plus élevée et le niveau d'éducation plus bas.

La vie de ces jeunes qui passent le plus clair de leur temps au pied de leur immeuble ou trempent dans la délinquance était désignée par une expression qui a fait florès dans les années 1980 : « la galère », marquée par le glissement des jeunes sans emploi dans la délinquance selon un état d'esprit où l'on percevait la fin de la société industrielle et la désinstitutionnalisation sociale (Dubet 2008 [1987]). En Grande-Bretagne, l'expression *street life* (la vie de la rue) semble rejoindre cette réalité : les jeunes acteurs de ce style de vie mêlent la déviance, l'absence de perspective sociale, la violence physique et la conviction que les classes moyennes (le Blanc, ou plus exactement l'individu socialement et économiquement intégré) bénéficient d'un statut qui leur est inaccessible.

Une partie de la jeunesse au sein de ces quartiers vit son existence comme dépourvue d'avenir, l'intégration économique au sein de la société globale relevant d'un leurre. Cette disposition que nous appellerons «la victimisation» repose sur une vision profondément pessimiste de l'existence sociale des couches exclues, doublée pour la jeunesse d'origine immigrée d'un sentiment de rejet de son identité «arabe». L'islam devient un enjeu identitaire même pour une partie de cette jeunesse qui ne pratique pas la religion, parce qu'il est une tentative de surmonter symboliquement un double déni – déni d'arabité, déni de francité (ou pour les jeunes d'origine pakistanaise en Grande-Bretagne : déni d'être pakistanais, déni d'être anglais) – en recourant à une nouvelle identité qui bénéficie d'une légitimité sacrée, l'islam. Être «musulman» au sens identitaire, c'est n'avoir à être ni français ni arabe. L'islam identitaire donne sens à une existence écrasée entre le double déni et le renvoi harassant à une double incapacité : le jeune d'origine nord-africaine se voit refuser la faculté d'assumer l'identité française parce qu'il est fondamentalement «arabe», mais il n'est arabe que dans un sens privatif puisqu'il ne parle pas la langue (il connaît souvent quelques injures et comprend grossièrement l'arabe dialectal) et est considéré comme un étranger dans le pays de ses parents ou grands-parents. En s'identifiant à l'islam, il parvient à se faire une raison d'être. Quelques-uns approfondissent la religion d'Allah et épousent pour de bon la nouvelle identité, mais la majorité d'entre eux demeurent peu au fait de la religion qu'ils revendiquent comme fondement de leur identité. La victimisation se conjugue avec une vision profondément désespérée de la situation sociale de l'individu. En Europe, et notamment en France, s'il est vrai que l'insertion dans le tissu social comme travailleur et citoyen à part entière est bien plus difficile pour un «Mohamed» en butte à des préjugés sociaux ou à des stéréotypes quelquefois racistes et souvent suspicieux que pour un « Robert », toutes les portes ne sont pas pour autant fermées, et une partie de cette jeunesse parvient à faire des études de haut niveau et à rejoindre les classes moyennes dans des quartiers « normaux » de la ville. Ce faisant, elle cherche à se fondre dans l'anonymat, elle évite soigneusement de rappeler ses origines et surtout, elle coupe les ponts avec ceux qui n'ont pas réussi à quitter les quartiers d'exclusion.

La victimisation se nourrit d'une histoire tourmentée, surtout pour les Algériens qui forment la majorité des migrants d'Afrique du Nord : la guerre d'indépendance, les harkis et leur tragique devenir, le ressentiment du million de pieds-noirs forcés de fuir l'Algérie et qui se retrouvent quelques années plus tard face à ceux qui leur ont enlevé le droit de vivre dans le pays qu'ils considéraient comme leur « patrie ». Le racisme et l'incompréhension vis-à-vis des Maghrébins se repaissent de cette histoire qui n'a pas eu d'issue « heureuse », à la différence de l'Afrique du Sud où la réconciliation nationale s'est faite à partir d'instances forgées dans le but de surmonter les rancœurs et les ressentiments. Les jeunes de la troisième génération qui sont exposés à ce sentiment de victimisation se trouvent face à un quadruple choix :

• La volonté de se fondre dans les classes moyennes
et ses conséquences pour les exclus

Le premier choix consiste à opter pour la voie dure et semée d'embûches de l'intégration sociale et économique, qui nécessite de lutter contre les préjugés et le déni de dignité en poursuivant des études ou en choisissant un emploi et en s'y adonnant corps et âme. Ce faisant, on surmonte la victimisation et on adopte un point de vue plus réaliste sur la société en apprenant à combattre les stéréotypes non par un excès d'agressivité, mais par un comportement combinant souplesse et adaptation qui ne fait pas de la «haine» sa catégorie fondatrice. Il faut changer d'accent, cesser de hurler comme on le fait avec les copains, quand chacun tente de surpasser les autres dans une sorte de joute où la voix la plus haute est la plus virile, changer de «look», abandonner le verlan des banlieues et parler un langage neutre. Surtout, on doit éviter le ton agressif et les phrases monosyllabiques pour s'exprimer dans un français moins banlieusard. On doit aussi se discipliner et apprendre à être plus ponctuel et plus «sérieux» que le Français moyen, payant ainsi une rançon symbolique pour racheter ses origines «arabes». Tout cela est fort difficile et y parviennent ceux qui ont vécu dans des familles structurées où le père a secondé la mère pour élever les enfants et veiller à ce qu'ils étudient avec assiduité. Le contexte de famille monoparentale fréquent dans les quartiers dits «difficiles» constitue un handicap majeur, que certains arriveront à surmonter grâce à l'appui d'un enseignant ou d'un cadre associatif, tandis que d'autres trouveront dans leur capacité de distanciation la force de vaincre leur haine d'une société injuste et d'un environnement ingrat et de résister aux sirènes de la délinquance.

Ceux qui parviennent à se hisser au rang des classes moyennes n'ont souvent qu'une idée en tête: s'installer en ville de la manière la plus anonyme en oubliant le passé et en tirant un trait sur les amitiés et les connaissances qui rappellent l'enfermement dans le «ghetto» et la rupture avec la société. Cet oubli des «mauvais quartiers» leur ouvre des perspectives nouvelles mais affaiblit aussi les zones délaissées qui ne peuvent plus compter sur eux. En d'autres termes, la réussite s'individualise, alors que le malaise de l'exclusion et de la délinquance se «collectivise» et impose son identité au quartier: il a mauvaise réputation, ses habitants sont des délinquants, y vivre vous discrédite aux yeux du futur employeur, l'école est souvent de performance médiocre (le taux de réussite aux examens est faible et les classes moyennes tentent de mettre leurs enfants ailleurs), le chômage y est très élevé, les jeunes s'y lèvent tard et y traînent en bande en vase clos, la petite et la grande délinquance y trouvant le lieu privilégié de leur recrutement.

Dans ce type de socialisation dans la rue, fait de hittisme et de trabendisme, fondamental pour les jeunes garçons[30], les jeunes peuvent se trouver en contact avec de nouvelles versions de l'islam dont le salafisme, rigoriste et ultra-orthodoxe, au sein duquel s'établit une forme de sociabilité sectaire où la différence avec la société globale se vit comme un choix au lieu d'être subie. En effet, les jeunes considèrent très souvent leur mode de vie délinquant fait de deal et de vol (appelé quelquefois *steaming* dans les quartiers pauvres en Grande-Bretagne) comme une fatalité, et sont persuadés qu'ils n'ont pas d'autre choix pour s'en sortir et rejoindre les classes aisées au moins par le consumérisme. L'islamisation à l'inverse apparaît comme un choix individuel, distinct de celui de la famille et de l'entourage, fondé sur un nouveau modèle. Le choix étant dénié dans d'autres domaines (le travail, les études ou le quartier), c'est sur le religieux que se cristallise l'individualisation. Le paradoxe est que celle-ci finit par engendrer, dans le cas du salafisme, un mode de vie sectaire en rupture avec l'individualité qui entendait s'y manifester. Lorsque la radicalisation se produit au nom du

---

30. Les filles, dans l'ensemble, vivent autrement : certes de petites minorités délinquantes se détachent et tentent d'imiter le modèle masculin, ne serait-ce que pour s'autonomiser sur le plan économique par rapport à la famille et accéder elles aussi au niveau de consommation des classes moyennes. Mais dans la plupart des cas, la surveillance plus grande qui leur est imposée les protège de la déviance et des études plus sérieuses que celles de leurs frères leur permettent d'accéder à l'emploi.

religieux, elle comporte aussi une dimension individuelle de rupture avec la logique du destin (*mektoub*) telle qu'elle est perçue par les jeunes. La mort, dans la radicalisation, devient aussi un volet essentiel où s'exerce la «liberté» individuelle. Opter pour l'extrémisme islamique, c'est refuser la fatalité du choix imposé par le quartier, les autres, la société. La nouvelle foi inflexible libère l'individu du joug de ce qu'il a toujours ressenti comme une voie prétracée, délinquance incluse : c'est pour financer la guerre sainte, et non par appât du gain, qu'il s'adonne au trafic et au deal.

• La délinquance, la haine et sa sacralisation

La deuxième voie consiste à opter, volontairement ou par la force des choses, pour la délinquance, ce qui permet de vivre largement au-dessus du niveau de vie de son environnement. Dans ce cas, l'appât du gain facile, la fréquentation des milieux déviants dans les banlieues et la violence à l'égard de la police mais aussi des autres caïds structurent une existence qui oscille entre la prison et la consommation permise par les fruits du deal, du vol ou d'autres formes de commerce relevant de l'économie souterraine. Cette voie est de loin la plus aisée pour les jeunes garçons qui arpentent la rue, se lèvent tard et se couchent tard, accompagnent les «potes» dans le quartier et vivent de longues heures ensemble, partageant dans une fraternité faite d'agressivité et de volonté d'auto-affirmation le même espoir de sortir de la pauvreté par la magie de la déviance. Des groupes plus ou moins instables se constituent, où des caïds s'affirment par l'agressivité et l'esprit de famille. Surtout, les grands frères mettent à profit la minorité légale des jeunes pour les affecter à des tâches de surveillance et de vente au détail de la drogue, leur procurant quelques ressources et leur faisant miroiter un avenir brillant fait de voitures à grosse cylindrée, de chaussures de marques, d'un mode de vie dispendieux où l'on invite les copains dans des restaurants plus ou moins huppés et surtout, où l'on assiste les autres membres de la famille, notamment les parents, afin qu'ils achètent une maison au bled. La délinquance est une tentative de court-circuiter le travail mal payé afin d'accéder directement au statut des classes moyennes à la barbe d'une société qui vous hait et que l'on hait dans une réciprocité presque parfaite. Dans cette volonté de vivre et consommer comme les classes aisées, il y a ainsi une soif de revanche et de provocation à l'égard d'une société – et aussi de son administration et de ses autorités institutionnelles – où l'on s'est presque toujours senti intrus, méprisé. Dans la délinquance, la haine de la société s'exprime sous une forme non idéologique, selon une logique égoïste : on ne cherche pas à changer le monde, on tente d'améliorer son propre sort au mépris des lois qui vous empêchent d'accéder au statut des riches. Non seulement on transgresse les lois, mais on nargue les «honnêtes gens» qui sont eux-mêmes des gagne-petit et tentent de vous imposer des normes qui vous réduisent à l'insignifiance et vous barrent l'accès à la consommation. Il y a de la provocation dans cet acte, mais c'est dans une volonté d'améliorer à tout prix son sort que s'inscrit la dimension transgressive.

La victimisation a une autre conséquence : on devient insensible aux souffrances d'autrui en s'attachant narcissiquement aux siennes propres. La victimisation justifie en ce sens la violence en retirant à l'individu l'aptitude à la culpabilisation. Dans la mesure où la société vous ferme toutes ses portes, se venger sur ses membres devient légitime et il n'y a plus de place pour le remords ou la culpabilité.

Un pas supplémentaire est franchi quand la «haine» de la société induite par la victimisation se sacralise dans le registre islamique. L'islam est l'expression d'une continuité mythique avec les parents, il est mis sur un piédestal symbolique et est vécu – même par ceux qui ne sont pas pratiquants – comme soustrait à l'indignité qu'ils éprouvent dans une société qui leur dénie l'appartenance à la nation. Dès lors, il devient le référent fondamental, le porteur de ce qui n'est pas « souillé », de ce qui est sacré tant par sa nature religieuse que par son essence « non française », « non anglaise » ou plus largement, non entachée par la civilisation occidentale considérée comme source du mal pour avoir été de tout temps anti-islamique. Face à ce monde hostile où l'on est réprimé en tant qu'individu et en tant que musulman, on n'éprouve plus de pitié. L'islamisme radical est l'opérateur de la bonne conscience et de l'absence de culpabilité, étendues à la pire des violences. On peut tuer sans mauvaise conscience parce que les méfaits infligés aux musulmans justifient la revanche contre tout citoyen, chrétien, juif ou musulman, qui ne partage pas ce point de vue. Tel a été le cas de Zacarias Moussaoui ou de Mohamed Merah. L'islam mythifié, une fois qu'on est radicalisé, autorise la généralisation de la violence à la collectivité entière. Sans le jihadisme, le jeune victimisé exerce sans aucun remords la violence contre ceux ou celles qui se trouvent sur son chemin de déviance. Après l'adhésion à l'extrémisme religieux, la violence devient la voie royale de la réalisation de soi en tant que chevalier de la foi contre un monde impie. La radicalisation par le religieux exhorte à la violence sans limites au nom de la pureté d'une foi dont la réalisation suppose l'élimination d'autrui, parangon de la mécréance.

• La voie sectaire

La troisième voie consiste à opter pour « l'exil intérieur » en s'abstrayant de la société par l'adhésion à des formes identitaires d'islam qui procurent la paix intérieure au prix de l'enfermement dans un univers plus ou moins sectaire: on devient salafiste et plus rarement tablighi, on nargue la société de consommation, on coupe les ponts avec le monde extérieur, on se donne pour passion de cultiver sa foi à l'écart d'un monde corrompu qui n'a cure ni de la mort ni de la piété et qui cultive des formes frivoles de consumérisme et de perversion sexuelle, comme si la vie s'achevait ici-bas et qu'il n'y avait ni Dieu ni Satan, ni paradis ni enfer. Dans ce cas, la haine de la société se transforme en un sentiment de supériorité spirituelle intériorisée, celle de «l'élu» face aux esclaves des plaisirs et de la vie dans ce monde matériel. La violence est exorcisée à la faveur du changement de groupe de référence qui n'est plus la société et ses normes mais le groupe fermé et ses interdits. De nouvelles formes de sociabilité aparaissent: on tente de se marier à l'intérieur du groupe, la femme acceptant le traitement inégalitaire au nom de la foi en Allah qu'elle partage avec l'homme; les convertis rivalisent de zèle pour apprendre la langue du Prophète et mémoriser les sourates du Coran qu'ils citent volontiers, non sans un brin d'exhibitionnisme, en arabe pour en accroître l'efficace et se valoriser aux yeux des autres musulmans qui auraient des doutes sur l'authenticité de leur foi; surtout, ils s'appliquent à mettre en pratique dans leur vie quotidienne les dires du Prophète (*hadiths*), dûment répertoriés par plusieurs générations de traditionnistes musulmans, pour se donner une légitimité face aux novices ou à ceux qui y verraient un consumérisme religieux teinté d'exotisme. Dans cette surenchère de piété, on tente de tout coder, jusqu'au moindre détail de la vie quotidienne auquel correspond une attitude normée selon les référents coraniques ou les *hadiths*. Le quotidien, jadis déstructuré et angoissant, se transforme en une temporalité encadrée, balisée, les cinq temps de prière lui donnant consistance et relief, les prescriptions religieuses jusque dans la manière de procéder à ses toilettes intimes devenant des jalons rassurants quand on est chômeur et dépourvu des repères sociaux que donne l'insertion dans le monde du travail, ou quand on se trouve dans une précarité telle que l'on se sent hors du monde. L'adhésion au groupe fermé apporte une profusion de normes et de prescriptions, elle confère une signification sacrée à la vie désormais rythmée par les prières quotidiennes et les interdits dont la transgression n'est pas illégale mais impie. La vie s'élargit à celle de l'après-mort, et le souci majeur consiste à s'assurer des lendemains heureux par des actions méritoires. Le fait d'appartenir à un monde « d'élus » empêche dans l'écrasante majorité des cas le passage à la violence. On ne cherche pas à changer le monde d'impiété où l'on vit, on vise au mieux à émigrer, tel le Prophète qui le fit de La Mecque à Médine, vers des terres islamiques où l'on pourra vivre sa foi sans souffrir de la désapprobation sociale qui pèse sur l'islam en France : porter la barbe touffue, la djellaba, le qamis, le voile strict pour les femmes, faire ses prières au grand jour sans être taxé d'intégrisme, s'adonner à une vie pieuse sans être exposé à des images de femmes nues et de promiscuité sexuelle, surtout entre individus de même sexe, soustraire ses enfants à l'attrait de l'alcool et des drogues, bref vivre selon l'idéal d'une orthodoxie islamique dont la pratique est plus qu'ardue en terre d'impiété. Les fondamentalistes, tablighis ou salafistes, sont bien dans leur peau comme membres d'une élite religieuse qui vit intensément sa foi à l'écart de la société globale et, dans leur écrasante majorité, ils ne cherchent pas à combattre par les armes cet Occident impie où ils vivent par pis-aller, faute de pouvoir s'établir dans des contrées islamiques.

• La violence sacrée et le statut du « héros négatif »

La quatrième option pour des jeunes victimisés est le choix de la violence guerrière contre la France (ou plus largement l'Occident) au nom de l'exigence impérieuse de leur foi. Cette fois, la rupture avec la société ne se consomme pas dans l'adhésion à une version sectaire de l'islam où l'individu chercherait à se protéger du monde extérieur en durcissant sa carapace symbolique, mais dans une violence sacrée qui a pour impératif catégorique la guerre contre l'Occident. La société est pourrie jusque dans son fondement et il n'y a pas de salut individuel hors de l'affrontement violent avec elle pour sauver les musulmans et arrêter de pervertir les uns et les autres par une vision sécularisée qui dénie à Dieu et à ses commandements toute efficace au nom de la souveraineté populaire. Selon ce point de vue, l'idolâtrie démocratique consiste à substituer à Dieu un peuple aveuglé par son aliénation et par la manipulation des élites perverses. La victimisation trouve alors une issue dans la violence sacrée : non seulement aucune stratégie individuelle ne permet de s'en sortir, mais toute attitude qui ferait l'économie de la guerre sainte est nulle et non avenue. Encore faut-il que le jeune parvienne à se convaincre de ce que l'islam authentique est celui-là même qui prône la violence et que cette voie est la seule légitime, à l'exclusion de toute autre. Pour cela, il dispose de deux sources précieuses, Internet où il peut trouver des documents idéologiques justifiant la voie du jihad, et le cercle des autres jeunes qui, souvent à l'extérieur des mosquées, au sein d'associations plus ou moins clandestines, exaltent la «violence sacrée» comme unique solution aux maux dont souffrent les musulmans et, plus globalement, une humanité prise en otage par les forces du mal incarnées par les puissances illégitimes des Croisés dominant le monde.

Sur Internet, les jeunes trouvent l'abondante production des grands ténors contemporains du jihadisme, une dizaine d'idéologues radicaux arabes[31] épaulés par de nombreux « petits intellectuels », qui leur servent de caisse de résonance et transmettent leurs messages en les vulgarisant pour les rendre accessibles aux adeptes peu versés dans les arcanes de la théologie et du droit musulmans. Cette littérature est presque entièrement traduite en anglais (et en partie en français) et disponible sur différents sites jihadistes qui, s'ils sont surveillés par les services de police occidentaux, ne sont pas interdits, l'endoctrinement n'étant pas considéré comme un délit. Cependant, pour qu'une partie (certes fortement minoritaire) de la jeunesse d'origine immigrée tout autant que des convertis puissent s'identifier à ce type d'idéologie, d'autres ingrédients sont nécessaires. La victimisation trouve, chez certains jeunes, une issue de secours dans l'idée que si l'horizon du futur est bloqué, si les musulmans sont sous pression, c'est parce qu'il y a une insurmontable animosité entre le monde de l'islam et l'Occident. Dans la vie quotidienne, les musulmans sont, disent-ils, stigmatisés et mis en demeure de renoncer à leur foi (interdiction du hijab, rejet des normes islamiques, expansion du sécularisme).

Un discours à la fois anti-impérialiste et anti-laïque, articulé à une vision patriarcale (il faut réinstaurer la différence homme/femme au nom de la foi), constitue l'essentiel du nouvel extrémisme religieux. Pour que cette vision puisse se justifier aux yeux d'une jeunesse en majorité déshéritée et économiquement exclue, il lui faut aussi une promesse de promotion individuelle. C'est ce qui trouve son accomplissement dans le statut du « héros négatif ». Le jeune victimisé est avant tout quelqu'un qui croit avoir épuisé toutes les voies pour sortir de l'insignifiance sociale. Désormais, ce

---

31. On trouvera leur liste et la description de leurs idées dans Khosrokhavar (2009, 2011).

n'est pas la réussite dans la société qui le mobilise, mais la reconnaissance universelle de sa guerre avec elle. Il ne vise plus l'intégration sociale par des voies positives, mais plutôt une forme de reconnaissance négative faite de peur et d'angoisse : les citoyens doivent le craindre au lieu de le respecter positivement, ou plutôt, le craindre pour le respecter négativement comme une menace, un « fléau », quelqu'un qui s'impose à leur attention par la terreur. Il se croit incapable de devenir un « héros positif », il se sait condamné à une insignifiance qui se donne à voir dans sa vie quotidienne dépourvue de la moindre possibilité d'accomplissement de soi. Devenu jihadiste, s'il commet un acte « éclatant », il accédera du jour au lendemain au statut envié d'une star de réputation internationale. Peu importe qu'il soit décrit en termes négatifs, considéré comme un fanatique, qu'on le haïsse – il sera sorti de l'insignifiance, célèbre. Désormais il compte, il n'est plus quantité négligeable. Il tire fierté de faire peur, comme Merah (voir sa biographie p. 105-109). Il est le justicier qui brandit le sabre de l'islam contre les ennemis et rétablit symboliquement l'équilibre depuis longtemps rompu au profit de l'Occident, par le recours à la violence : celle-ci est damnatrice pour les adversaires, qui iront en enfer, et rédemptrice si elle l'emporte dans la mort avec beaucoup de mécréants (il acquerra le statut de martyr et ira au paradis). Dans tous les cas, il joue gagnant car il bénéficie d'un énorme avantage : la mort ne lui fait pas peur – il en vient même à la désirer – alors que ses ennemis pusillanimes la craignent par-dessus tout. Cela lui confère une indéniable supériorité morale sur eux. D'inférieur, il devient supérieur, autrefois méprisé, il retrouve sa dignité dans l'effroi qu'il inspire à ses anciens contempteurs. Le héros négatif puise dans la négativité même de son statut des raisons de se sentir au-dessus des autres.

Dans l'ensemble, le héros négatif se délecte de la crainte qu'il inspire et du regard négatif que l'on porte sur lui dans les médias. Plus on le fustige, plus il trouve à se glorifier, dépensant avec prodigalité le seul bien dont il dispose, la vie des autres (avant qu'on ne l'en empêche) et, en dernier ressort, la sienne, qu'il est prêt à sacrifier pour la cause sacrée. Sa mort va clôturer un destin qui s'est voulu pourvu de sens face à une société qu'il a diabolisée et qui le diabolise sans que le dialogue puisse s'instaurer. Passé le degré ultime de radicalisation qui correspond à l'assomption du statut du héros négatif, plus aucun dialogue n'est possible, l'issue du conflit étant scellée uniquement par la violence extrême, celle de la mort donnée ou subie.

Le malaise des jeunes victimisés, souvent de statut précaire, peut s'étendre à des membres des classes moyennes, cette fois en termes de blessure identitaire. Souffrant de l'anonymat, d'une vie marquée par l'anomie – ils n'ont plus l'impression d'appartenir à une communauté, les liens sociaux sont rompus et ils traînent le fardeau d'une existence dépourvue de sens –, ceux-ci deviennent les porte-parole autoproclamés de la souffrance des autres musulmans qui pâtissent de l'impérialisme, du sionisme ou des méfaits de la répression occidentale. Étant de classe moyenne, ils tolèrent encore plus mal les formes de stigmatisation et de préjugés qui pèsent sur l'islam et ses adeptes. Devenus défenseurs autoproclamés de l'islam dans un monde où ils n'ont plus à prouver leurs capacités, les radicalisés issus des classes moyennes n'ont même pas à inverser symboliquement, comme les jeunes exclus, l'inférieur en supérieur par leurs actes cruels, puisqu'ils font partie des « supérieurs ».

L'individu des classes moyennes peut s'engager dans le jihadisme faute d'identité solidement assise dans le réel, en conséquence d'une anomie qui peut atteindre jusqu'au fondement de son existence. C'est ainsi que tel individu bardé de diplômes en sciences exactes et membre de grandes institutions scientifiques internationales opte pour la lutte au nom de la guerre sainte, pour aider l'islam, sous l'emprise d'une irréalité qui touche jusqu'à son existence quotidienne. Ayant perdu le sens de la réalité et vivant dans un monde où le virtuel peut empiéter sur le réel, il peut jouer le héros négatif sur les sites jihadistes, nouant des contacts, cryptant des messages, faisant office d'intermédiaire entre divers noms et pseudonymes, bref mêlant fiction et réalité dans une guerre sainte onirique qui peut lui coûter cher et avoir des conséquences néfastes pour les autres et pour lui-même[32]. Cette figure donquichottesque de chevalier de l'apocalypse, personnalité mi-onirique mi-réelle de pourfendeur velléitaire, joue un jeu dangereux avec sa propre identité et avec des interlocuteurs fictifs ou réels. S'il en trouve l'occasion et s'il rencontre au cours de sa trajectoire un groupe qui l'épaule, lui donne les moyens réels de son ambition – apprendre à manier des armes et des explosifs, le faire sortir de sa condition confortable pour l'intégrer dans un groupe de combattants – et lui insuffle la haine de la société en faisant résonner les blessures dues au passé impérialiste et colonial de son pays d'adoption avec la politique actuelle (invasion de l'Afghanistan, de l'Irak, du Mali…), il peut aller très loin, mais souvent lui manque la détermination du jihadiste des classes populaires qui entend se venger de ses souffrances.

---

32. Voir le cas d'Adlène Hicheur, qui se rapproche le plus de ce modèle. Bastien Zaouche, « Hicheur s'est fourvoyé dans l'islam radical », *L'Express*, 31 mars 2012, [en ligne], http://www.lexpress.fr/actualite/societe/justice/hicheur-s-est-fourvoye-dans-l-islam-radical_1099876.html [dernière consultation en mai 2014]. Dans l'entretien que j'ai eu avec lui en prison en 2012, cette impression d'irréalité m'a semblé rémanente.

Le caractère anomique du jihadisme des classes moyennes en Occident ne se reproduit pas dans les sociétés musulmanes. Dans ces dernières, l'indignation d'être marginalisé voire exclu des champs politique et économique par les élites dominantes, corrompues et autocratiques, produit un ressentiment non pas identitaire, mais terriblement ancré dans la réalité quotidienne. La radicalisation ne revêt donc pas des formes irréelles, elle devient le langage même de l'acteur aux prises avec une réalité ingrate, mis à l'index dans son existence et réduit à une profonde indignité par un pouvoir dépourvu de légitimité.

Le héros négatif est souvent à cheval entre plusieurs cultures. À sa façon il est multiculturaliste, alors même qu'il nie avoir une autre culture que celle prescrite par l'islam, à savoir la soumission aux commandements d'Allah dans un universalisme dénégateur de toute spécificité culturelle. Un exemple révèle bien ce type de chevauchement : dans un quartier du sud-est de Londres, à Woolwich, deux hommes noirs convertis, d'origine nigériane, ont tué à coups de machette un soldat britannique le 29 mai 2013. Michael Adebolajo, 29 ans, se faisant appeler Mujahid Abu Hamza, et son complice Michael Adebowale, 22 ans, Ismail Ibn Abdullah pour l'islam, avaient prémédité le meurtre et s'étaient procurés la veille de gros couteaux. Adebolajo, le « chef », avait rédigé un testament de mort sacrée (martyre) où il déclarait à ses enfants : « À mes enfants que j'aime, sachez que combattre les ennemis d'Allah est une obligation religieuse. » Ils ont choisi un soldat, tout comme le fera Merah, parce que les militaires sont, selon eux, en première ligne du combat contre l'islam. Ils l'ont épié alors qu'il sortait de la caserne de Woolwich, habillé en civil mais portant un sac à dos militaire, ils l'ont poursuivi en voiture, l'ont violemment percuté puis attaqué à coups de couteau, tentant de le décapiter sans y parvenir entièrement. Ensuite, brandissant une arme rouillée destinée à faire illusion, ils ont attendu la police en espérant qu'elle les tuerait en martyrs. Simplement blessés, ils ont été arrêtés.

Les deux hommes se sont convertis à l'islam au début des années 2000. Le plus âgé allait jusque-là assidûment à la messe et était influencé par les Témoins de Jehovah. Après sa conversion, il rejoint le groupe extrémiste al-Muhajiroun, aujourd'hui interdit, et prend part aux sermons d'Omar Bakri, l'un des idéologues en vue de «Londonistan». La guerre en Irak et l'implication de l'armée britannique le choquent profondément. Il ne supporte pas la complicité de la presse qui loue l'intervention occidentale alors que des musulmans sont tués. Il participe aux mouvements de protestation contre la guerre à Londres en 2006, 2007 et 2009. Il tente de partir en Somalie afin de rejoindre la force islamiste des Chabab en 2012, mais est arrêté au Kenya et renvoyé en Grande-Bretagne. Les services secrets britanniques MI5 l'identifient comme islamiste dès 2006 pour avoir participé à des manifestations violentes contre la police, et il est fiché sur une liste de 3 000 terroristes, notamment lorsqu'il tente de partir en Somalie. Il y a là une ressemblance avec le cas de Mohamed Merah, que les Renseignements généraux français avaient aussi identifié comme islamiste radical mais qu'ils avaient laissé en liberté. On retrouve aussi dans les deux cas l'attaque primordiale contre des militaires et la fragilité mentale des auteurs des attentats, trois traits qui seront récurrents chez les nouveaux types de jihadistes.

L'autre membre du duo, Adebowale, âgé de 22 ans, a un parcours chaotique. Dès l'âge de 14 ans il est membre d'un gang, devient trafiquant de drogue, est blessé dans une bagarre et essuie une condamnation de huit mois de prison. Il a des troubles psychologiques importants, comme bon nombre de nouveaux jihadistes (voir plus loin). Après avoir purgé sa peine de prison, il rompt avec sa famille et se convertit à l'islam. Lors de son arrestation après le meurtre du soldat Lee Rigby, il est violent, crache sur les policiers et leur assène des coups[33].

Les deux individus radicalisés ont une acculturation sur la base de symboles contre-sociétaux. Le plus âgé déclare: «al-Qaida, je les considère comme des moudjahidines [les combattants du jihad]. Je les adore, ce sont mes frères. Je ne les ai jamais rencontrés, mais je les considère comme mes frères d'islam […]. Les moudjahidines sont l'armée d'Allah[34].» Il y a là exaltation d'al-Qaida, dont les membres sont promus combattants de la guerre sainte contre un Occident où Michael Adebolajo vit depuis longtemps et où il s'est converti à l'islam. La constitution de soi et de l'organisation à laquelle il s'identifie comme un héros négatif s'effectue donc à partir d'une acculturation que Georges Devereux aurait qualifiée d'antagoniste. La symbolique du meurtre est significative: après avoir assassiné le soldat anglais, Adebolajo, les mains rouges de sang, brandit la machette devant les caméras dans une attitude de défi, mettant en garde tout Anglais qui s'aviserait de provoquer des musulmans. On peut voir dans ce geste une imitation des paradigmes islamiques (trancher la gorge du soldat, comme le recommandait Omar Bakri dans ses sermons). Mais la symbolique est duale, dans la mesure où elle peut émaner non seulement des pages du magazine *Inspire* d'al-Qaida ou des vidéos jihadistes montrant *ad nauseam* des scènes de tuerie et d'égorgement des hérétiques,

---

33. Eric Albert, «Soldat décapité à Londres: deux hommes reconnus coupables», *Le Monde.fr* avec AFP, 19 décembre 2013.
34. «Royaume-Uni: le meurtrier du soldat Rigby raconte son "adoration d'al-Qaida"», *Le Monde.fr*, 9 décembre 2013.

mais aussi des vidéos de rap filmées au sud-est de Londres[35]. Elle est à la croisée du «terrorisme interne» (*homegrown terrorism*) et du jihadisme transnational. Le héros négatif «bricole» des mélanges culturels même quand il prétend se conformer à la stricte lettre du jihad, par-delà les particularismes culturels.

Dans les sociétés occidentales, l'immense majorité perçoit les héros négatifs, parfois appelés «bombes humaines» (*suicide bombers*) quand ils optent pour l'attentat-suicide en portant une ceinture d'explosifs, comme des fanatiques sans pitié ni sens moral, des sortes de «monstres». Cette monstruosité est vécue par eux comme un trait positif, en raison même de leur acculturation antagoniste: plus la société «impie» les déteste, plus ils se sentent confortés dans leur statut de héros pour la société islamique imaginaire dont ils se veulent les martyrs. La haine de l'autre devient constitutive de leur identité supérieure. Le héros négatif n'est «héros» qu'à ses propres yeux; pour la société qui subit ses assauts, il est plutôt un être déshumanisé qui inspire l'horreur et dont les actes, considérés comme plus ou moins conscients, relèvent de l'aveuglement et du fanatisme bien plus que de l'héroïsme.

De l'ancien radicalisé au nouveau

Depuis la dernière décennie, on assiste à une mutation des formes visibles de radicalisation en Europe. Les comportements ont changé, ainsi que les relations entre les individus,

---

35. Jonathan Githens-Mazer, «Why Woolwich Matters: The South London Angle», *RUSI Analysis*, 31 mai 2013, [en ligne], www.rusi.org/analysis/commentary/ref:C51A8860A58067/#.UaoXyut8OUc [dernière consultation en mai 2014].

notamment dans l'espace public. On distinguera pour simplifier la forme «classique», datant de la fin du XXe siècle et des premières années du XXIe siècle, du nouveau type, beaucoup plus complexe, qui a émergé ces dernières années.

Le modèle «classique» était marqué par le fait que l'individu en voie de radicalisation affichait un comportement proche de celui des fondamentalistes religieux (qui n'ont pourtant, en soi, pas de lien avec le jihadisme). Cette proximité a fait la force et la faiblesse des jihadistes, qui partageaient nombre de traits avec les fondamentalistes religieux, à savoir:

– le port de la barbe, ce qui distinguait l'adepte des autres, que ce soit les non-musulmans ou les «mauvais musulmans», voire les «apostats», c'est-à-dire les musulmans considérés comme renégats parce qu'ils ne se conforment pas aux prescriptions islamiques telles que les interprètent les adeptes ultra-orthodoxes de la religion d'Allah. Les protagonistes du fondamentalisme islamique se qualifient souvent de «salafistes», en référence aux disciples des compagnons du Prophète aux premiers siècles de l'islam (les *Salaf*) qui respectaient selon eux ses prescriptions. Les jihadistes sont qualifiés de salafistes jihadistes par les uns et les autres;

– l'adoption d'un comportement agressif vis-à-vis des non-musulmans ou des autres musulmans qui ne suivaient pas la version de l'islam prônée par les individus radicalisés ou en voie de radicalisation;

– la contestation de l'imam de la mosquée quand il était «modéré», c'est-à-dire n'adhérant pas à la version radicale prônée par l'individu radicalisé;

– l'habillement identique à celui des salafistes, qui pensent se vêtir selon le modèle du Prophète: port de la djellaba et du qamis, ou encore utilisation du *siwak* (brosse à dents en bois dont le Prophète était censé se servir) au lieu de son équivalent moderne. Tout ceci se déroulait dans l'espace public, avec une dimension ostentatoire délibérée, pour attirer des adeptes parmi les musulmans «attiédis» ou encourager par l'exemple la conversion des non-musulmans;

– chez les convertis radicalisés, l'adoption d'une attitude ultra-orthodoxe, et le rejet concomitant de tous ceux qui ne se conformaient pas à leur vision de l'islam. Leur attitude se distinguait de celle des autres musulmans en ceci qu'ils devaient faire preuve d'encore plus de zèle pour se faire accepter par leurs nouveaux coreligionnaires encore un peu sceptiques sur leur sincérité ou pour faire naître un sentiment de fraternité malgré les images de «blanc» ou de «colonialiste» attachées à leur passé de Français non-converti;

– le développement d'un prosélytisme qui s'exerçait non seulement en direction des musulmans (ce que font les adeptes de l'organisation Tabligh qui s'y cantonnent souvent), mais aussi des laïques et des chrétiens;

– la constitution de groupes de plusieurs personnes (cinq ou six, voire plus), qui se livraient à une promotion ostentatoire de l'islam contraire aux normes laïques, engendrant ainsi un sentiment de malaise dans la société et donnant l'impression de chercher la provocation;

– la promotion d'activités religieuses, surtout pendant le mois du Ramadan, visant entre autres à culpabiliser les musulmans qui ne suivaient pas assidument le jeûne, les pressant aussi de faire intégralement les cinq prières quotidiennes. Souvent, au niveau de la famille, on cherchait à forcer plus ou moins les autres à suivre le modèle intransigeant de la religion que l'on préconisait;

– l'appropriation d'un bagage religieux spécifique où étaient mises en valeur des notions comme la mécréance (*kufr*, hérésie ou mécréance selon le contexte), l'ignorance (*jahiliya*, en référence à la période d'avant l'islam, mais extensible à la période actuelle où de nombreux musulmans et non-musulmans continuent d'ignorer la forme d'islam prônée par les radicaux), la guerre sainte (*jihad*) contre les mécréants mais aussi contre les gouvernements islamiques illégitimes qui représentent l'idolâtrie mondiale (*taqut*), etc.

Ces comportements, que suivaient plus ou moins les fondamentalistes (surtout les salafistes pacifiques dits scientifiques), étaient aussi partagés par les jihadistes jusqu'au début des années 2000.

Il faut noter que la plupart des fondamentalistes ne sont pas jihadistes, mais que la plupart des jihadistes affichaient avant les attentats du 11 septembre 2001, et même pendant quelques années après, un comportement ostentatoire proche de celui des fondamentalistes. Cette attitude aidait d'ailleurs la police à les identifier. Ce fut le cas par exemple pour les membres d'un groupe du 19ᵉ arrondissement de Paris démantelé début 2005. Il recrutait autour de son chef Farid Benyettou des jihadistes volontaires pour l'Irak, repérés entre autres parce qu'ils manifestaient contre la loi interdisant le port du foulard à l'école publique. Le groupe montrait ainsi publiquement son adhésion à l'islam ultra-orthodoxe, affichant une volonté radicale de l'imposer par la violence au nom du jihad, du moins en dehors de la France. Ce type d'attitude associant le registre du fondamentalisme religieux à la vision radicale de l'islam persistait comme forme dominante de radicalisation il y a encore quelques années, malgré les mises en garde d'idéologues majeurs du jihad comme Abu Mus'ab al-Suri incitant les partisans de la guerre sainte à dissimuler leur identité religieuse.

L'association entre jihadisme et fondamentalisme était inscrite dès les années 1990 dans le salafisme, dont une branche radicale se distinguait de celle qui adoptait une attitude sectaire sans aller jusqu'à prôner la violence au nom de la guerre sainte. Le salafisme traditionnaliste, appelé « cheikhi » ou scientifique, entendait – et entend toujours – répandre l'islam par les mœurs et les coutumes plutôt que par le jihad, évitant la politisation et la violence, optant pour la *da'wa* (prosélytisme, appel à rejoindre l'islam) ; le salafisme radical, dit jihadiste, réclamait la mise en application de la charia par le recours à la violence guerrière, soit pour récupérer les terres de l'islam conquises par les Infidèles (Palestine, Afghanistan, puis l'Irak envahi par les armées américaine et britannique et aujourd'hui le Mali), soit pour faire avancer la cause de l'islam dans le monde entier (tendance qotbiste, du nom de Seyyed Qotb, révolutionnaire islamiste, idéologue des Frères musulmans).

Jusqu'aux premières années du XXIᵉ siècle, les partisans du salafisme jihadiste pensaient qu'en Occident, où l'islam est une religion minoritaire, il fallait faire montre de plus de zèle religieux et adopter une posture fondamentaliste pour mieux attirer les jeunes, qu'ils soient désislamisés, *born again* ou en voie de conversion. Ceux qui se radicalisaient laissaient pousser leur barbe et affichaient avec fierté leur adhésion à la religion d'Allah, revendiquant le prosélytisme du musulman qui a redécouvert sa foi sous une forme militante, c'est-à-dire en se démarquant de ses parents dont la pratique religieuse relevait de «l'orthopraxie» (pratique ritualiste) et était dépourvue d'une vision idéologique de l'islam. L'idéologisation de l'islam allait de pair avec la fierté reconquise, un sentiment de supériorité sur les musulmans traditionnels et sur les laïques qui ne comprenaient pas le sens de la religion d'Allah. L'ostentation faisait partie intégrante de la nouvelle religiosité qui avait besoin de se démarquer symboliquement autant des musulmans passéistes (les parents et les grands-parents) que d'une société française imbue de ses valeurs laïques (que les fondamentalistes identifiaient à l'anti-religiosité, réelle au demeurant chez une minorité de laïques).

Ce modèle a subi un changement radical quelques années après les attentats du 11 septembre, notamment quand les adeptes de l'extrémisme islamique ont pris conscience de la surveillance accrue qu'exerçaient les services de renseignement à leur sujet.

Le modèle introverti du jihadiste

Depuis quelques années, le registre de l'islamisme radical se diversifie. Désormais, un nouveau modèle de radicalisation, introverti, émerge à côté de la radicalisation extravertie qui puisait dans le fondamentalisme islamique ses modes d'expression ostentatoire. Ce dernier continue à recruter, marginalement, des adeptes de la radicalisation qui se détachent par la suite des réseaux fondamentalistes pas assez activistes à leur goût pour constituer de nouveaux groupes belliqueux. Plus précisément, quelques-uns des fondamentalistes qui montrent les signes ostensibles de religiosité décrits plus haut sont tentés par l'islamisme radical, mais la grande majorité ne franchit pas le pas. En revanche, la plupart de ceux qui se radicalisent optent pour une attitude introvertie, dissimulant leur foi pour échapper à la vigilance de la police et des services de renseignement. C'est ainsi qu'ils se rasent la barbe, non parce qu'ils auraient remis en cause leur credo islamiste mais pour se rendre invisibles. De plus en plus, les islamistes radicaux, qu'ils soient *born again* ou convertis, font tout pour ne pas se démarquer des citoyens laïques ou de ceux dont la foi est individualisée et privée, afin de ne pas attirer l'attention de la police sur eux.

Autre trait distinctif, la nouvelle radicalisation est en quête de petits réseaux plutôt que de larges groupes. Depuis les attentats de Londres en juillet 2005, toutes les tentatives faites par des réseaux de plus de trois ou quatre personnes pour mener à bien une action terroriste se sont soldées par un échec un peu partout en Europe, les services de renseignement et de police ayant intercepté leurs tentatives de communication par téléphone portable ou Internet. En revanche, les attentats perpétrés par un individu isolé ou un microgroupe, que ce soit au nom de l'islam radical ou pour d'autres motifs, n'ont pas pu être évités (par exemple, dans le cas de Mohamed Merah, ou du Norvégien Anders Breivik). Désormais, il semble que l'attentat terroriste ne puisse être réussi que s'il est réalisé par un individu esseulé autoradicalisé par le biais de la Toile ou par un tout petit groupe. Si le groupe s'étend, il est très probable que la tentative soit neutralisée par les forces de l'ordre. Certes l'individu esseulé, le singleton, agit plus ou moins seul : il est plus ou moins influencé par des réseaux ou des groupes fondamentalistes (Merah, par exemple, aurait été influencé par l'association Forsane Alizza). Mais il passe seul à l'action, contrairement aux schémas en vigueur jusqu'en 2005 où plusieurs personnes (19 participants étaient directement impliqués dans les attentats du 11 septembre 2001 ; 4 dans l'attentat de Londres en juillet 2005) agissaient de concert. Désormais, il faut plutôt compter avec un seul individu ou un micro-groupe qui tente de mettre en œuvre l'action violente au nom de la communauté globale (qui peut être la *oumma* islamique, la Nation, l'homme blanc…).

Le troisième trait de ces nouveaux types de terroristes est leur déficience mentale ou leur fragilité psychique. Auparavant, la logique du groupe interdisait que des individus psychologiquement fragiles puissent pénétrer en son sein. C'est ainsi que Zacarias Moussaoui a été éliminé du cercle des meneurs de l'attentat du 11 septembre 2001 parce qu'il n'était pas fiable. Dorénavant, la décision de passer à l'acte est prise par l'individu seul ou par un groupe de deux ou trois, souvent des personnes marquées par des fragilités psychologiques, comme cela semble le cas de Mohammad Merah, d'Anders Breivik, ou encore des deux Anglais d'origine nigériane convertis Michael Adebowale et Michael Adebolajo. Les coups de feu tirés par Abdelhakim Dekhar sur des journalistes dans les locaux de BFM-TV et de *Libération* mi-novembre 2013 à Paris ne semblent pas relever directement de la psychopathologie, mais lui aussi paraît avoir agi seul.

Pour résumer et donner un schéma d'ensemble des nouvelles formes de radicalisation en contraste avec le schéma «classique» décrit plus haut, on pourrait relever les caractéristiques suivantes :

– barbe courte ou absence totale de barbe, contrairement à la barbe plus ou moins touffue des fondamentalistes ;

– refus de construire de larges réseaux, de peur de leur identification par la police ;

– refus de tout contact avec les imams «modérés» des mosquées, ceux-ci étant perçus comme indignes de confiance ;

– attitude introvertie, notamment dans l'interaction avec les autres : en renonçant au prosélytisme et en n'admettant personne dans l'intimité du groupe très restreint (deux ou trois personnes au maximum), on sacrifie l'attitude ostentatoire destinée à acquérir une légitimité islamique auprès des autres musulmans à la dissimulation du micro-groupe qui cherche à échapper à la vigilance de la police ;

– construction d'un nouveau type de relation entre une «personnalité forte», que nous appellerons le «radicalisateur», et une personnalité influençable, voire faible, présentant souvent des déficiences psychologiques, que nous nommerons le «radicalisé» ;

– rejet de tout «marqueur» religieux tout au long du Ramadan, afin de camoufler sa religiosité, en particulier chez les convertis qui parviennent souvent à dissimuler leur conversion à leur entourage;

– construction de duos – et plus rarement de trios –, qui sont, à côté des cas individuels, le cas le plus fréquent de «réseau radicalisé».

Si ce nouveau type de radicalisation est plus difficile à neutraliser, il a aussi une capacité de nuisance plus réduite: jusqu'à présent, à l'exception du massacre d'Utoya par Anders Breivik en 2011, chaque attentat réussi n'a causé «que» quelques morts.

L'individu esseulé autoradicalisé

L'individu autoradicalisé est une personne qui se radicalise individuellement, soit sous l'influence d'une association qui le renforce dans son credo guerrier sans pour autant intervenir dans son action terroriste, soit par la Toile, en lisant les ouvrages radicaux sur Internet ou en entrant en contact avec des interlocuteurs qui lui insufflent une âme de jihadiste sans constituer un réseau terroriste ni s'impliquer dans des attentats. La radicalisation se fait progressivement (la radicalisation subite n'étant vérifiée dans aucun cas concret), avec parfois des épisodes de doute, l'individu préservant son quant-à-soi, faisant son bricolage idéologique sur des sites plus ou moins radicalisés, mais ne nouant des liens avec personne pour constituer des réseaux agissant de concert.

Si l'on entend par «loup solitaire» un individu qui agit seul quand il commet un attentat, tout en étant influencé par un groupe ou une association n'intervenant pas directement dans l'action proprement dite, Mohamed Merah, qui a commis les attentats de Toulouse et Montauban en mars 2012 et le converti «Alexandre», qui a blessé à la Défense un soldat effectuant une patrouille Vigipirate en mai 2013, répondent à cette définition.

Du pré-radicalisé au sur-radicalisé

Le modèle européen et plus largement occidental a évolué depuis la fin du XXᵉ siècle. Alors que les radicalisés impliqués dans les attentats du 11 septembre venaient tous du Moyen-Orient (surtout des Saoudiens et des Égyptiens), le XXIᵉ siècle a vu apparaître le règne des terroristes maison, dont la radicalisation s'est faite par le truchement de « copains », d'Internet, et de moins en moins en relation avec les groupes radicaux du monde musulman.

Avec la Syrie, on assiste à une nouvelle forme de radicalisation. La plupart des jeunes Européens qui partent en Syrie (surtout via la Turquie) ne sont pas « radicalisés » au sens strict du terme lorsqu'ils tentent l'aventure. Leurs motivations consistent principalement en un mélange délétère de trois composantes : une préoccupation humanitaire (sauver les frères musulmans massacrés par le régime sanguinaire d'Assad), un fondamentalisme exacerbé (lutter contre un régime chiite qui procède d'un islam frelaté et réprime les musulmans authentiques, les sunnites), ainsi qu'une dimension ludique, liée au danger et au dépaysement. La dilution de l'identité se combine à la volonté de s'affirmer en héros musulman tout en s'ébaudissant, un peu comme les adolescents qui se croient immortels et jouent avec la mort. L'engagement jihadiste a une dimension tragique (le sentiment de désespoir anomique lié à la crise identitaire) mais aussi cocasse (on s'extasie devant l'inconnu de la mort, la sienne propre comme celle des autres). Ce dernier aspect transparaît surtout lorsque ces jeunes vont le soir dans un cybercafé improvisé d'un quartier en guerre en Syrie, et portable dans une main, fusil dans l'autre, se font photographier par leurs amis sans se soucier de dissimuler les lieux de leur séjour, rompant avec la discipline la plus élémentaire dans ce type de guerre civile (Thomson 2014). L'attitude parfois irresponsable de ces jeunes soldats autoproclamés d'Allah vis-à-vis de leur propre sécurité et de celle des groupes dont ils se réclament dénote le bonheur de l'aventure et la montée d'adrénaline, plutôt que la discipline de fer de miliciens murés dans leur credo mortifère.

La dimension identitaire se révèle, quant à elle, dans la rupture consommée avec une vie quotidienne qui n'est pas toujours sans attrait pour ces jeunes Français dont un nombre grandissant provient des petites classes moyennes, voire des groupes relativement aisés. Quelquefois ils rompent avec une vie plus ou moins assurée pour éprouver leur sincérité vis-à-vis de Dieu, puisant dans cet élan les ressorts d'une nouvelle identité revigorée par le Sacré. L'individu désorienté se retrouve dans une relation à Dieu qui l'authentifie à ses propres yeux ; il découvre un sens à son existence et atteint, en menant la guerre contre l'ennemi de l'islam et contre ses propres penchants «matérialistes», un nouveau type de bonheur. D'ailleurs, à côté des jeunes de banlieues exclus et nourris de la haine de la société, émergent de nouveaux adeptes qui ont une relation beaucoup moins conflictuelle avec la société, leur quête de guerre contre l'ennemi trouvant une signification religieuse qui ne recoupe pas celle du rejet de la société française. Ils partent en Syrie pour se racheter aux yeux d'Allah et pour bâtir une nouvelle identité où l'héroïsme, le dépassement de la peur de mourir et la mise à l'épreuve de soi sur le champ de bataille confèrent de la noblesse à leur entreprise. La nouvelle sincérité trouve un horizon d'espérance, la mort sur le champ de bataille se muant en martyre, le départ d'ici-bas ouvrant les perspectives du bonheur dans l'au-delà. Dans cette entreprise de réhabilitation et de reconstruction de soi selon les normes du sacré, les femmes prennent une place de plus en plus significative : elles sont certes une minorité, mais leur nombre commence à augmenter. Elles nourrissent un rêve de matri-patriarcat imaginaire où elles surpasseraient d'une certaine manière les hommes en se subordonnant à eux et en renonçant à la grisaille d'un féminisme de plus en plus prosaïque qui leur a apporté une égalité approximative dans un désenchantement absolu. Si les hommes en Occident se radicalisent souvent par peur d'un complexe de castration (l'égalité homme/femme les démunit dans la vie privée, mais aussi publique, de marqueurs d'identité), c'est le complexe d'égalité nivelante qui motive la volonté des femmes d'assumer leur féminité dans une infériorité qu'elles tentent magiquement de transmuer en une nouvelle vie porteuse de sens. Leur départ sur le front syrien tient à cette forme paradoxale de radicalisation où l'on renonce à l'égalité pour bâtir un monde nouveau pétri de sacré. Les femmes jihadistes visent aussi à montrer une forme d'égalité dans la mort : si elles peuvent mourir en martyres comme les hommes, cette égalité devrait prévaloir aussi dans la vie, jusqu'au sein de cet islam imaginaire qu'elles appellent de leurs vœux.

Que certains de ces jeunes aient été endoctrinés avant leur départ en Syrie via Internet[36] ou par des personnes charismatiques qui leur ont vanté l'aventure syrienne[37] ne signifie pas qu'ils aient été « jihadisés » au sens fort du terme. Si cela avait été, ils auraient procédé comme Khaled Kelkal en 1995

---

36. Christophe Cornevin, « Comment les djihadistes français sont recrutés sur Internet », *Le Figaro*, le 24 janvier 2014 ; Sam Jones, « Jihad by social media », *Financial Times Magazine*, 28 mars 2014.

37. Un Tunisien a été expulsé suivant une procédure d'urgence absolue par le ministère de l'Intérieur pour avoir tenté de recruter des candidats au jihad parmi de jeunes Français à Grenoble. Voir « Expulsion d'un Tunisien qui recrutait des djihadistes à Grenoble », *Le Monde.fr* avec AFP, 14 juin 2014.

ou Mohamed Merah en 2012 et auraient tenté de perpétrer des actions terroristes en France ou en Europe. Leur cas, du moins pour les majeurs, peut être comparé à celui des « révolutionnaires » ou des « républicains » européens qui, pendant la guerre d'Espagne de 1936 à 1939, sont allés lutter aux côtés des forces anti-franquistes ; ou bien aux gauchistes des années 1970, dont certains ont adhéré à des groupes extrémistes palestiniens ; ou encore, aux gauchistes japonais qui, en mai 1972, ont attaqué l'aéroport Lod à Tel-Aviv, tuant 26 personnes et en blessant 80 autres, après une période de coopération de l'Armée rouge japonaise avec les extrémistes au Liban.

Il ne faut pas voir dans le départ des jeunes pour la Syrie uniquement un malaise identitaire ou un sentiment de manque. C'est aussi l'expression d'un romantisme révolutionnaire. L'épuisement du radicalisme au nom de la gauche et la fin des idéologies révolutionnaires laïques ouvrent la voie à l'islam radical qui revêt tour à tour une signification anti-impérialiste et une connotation machiste et anti-démocratique. La première dimension satisfait les jeunes qui voient dans l'impérialisme occidental les restes de l'héritage colonial et de l'arrogance de « l'homme blanc ». La seconde dimension renvoie au malaise identitaire de ceux qui ne trouvent pas d'horizon d'espérance dans la grisaille européenne. Le « départ » est vécu comme un saut dans l'inconnu pour atteindre le bonheur dans l'idéal guerrier : la promesse du jihad en terre syrienne serait, selon l'expression de ces jeunes Anglais embarqués sous la bannière de l'État islamique en Irak et au Levant, comme une « cure contre la dépression » qui ronge les jeunes[38].

---

38. Haroon Siddique, « Jihadi recruitment video for Islamist terror group Isis features three Britons », *The Guardian*, 20 juin 2014.

Il faudrait par conséquent insister simultanément sur les deux dimensions – romantisme révolutionnaire et malaise identitaire – pour comprendre la complexité des motivations juvéniles dans la tentation syrienne[39].

Ces jeunes ont une prédisposition militante qui peut être qualifiée de « pré-jihadiste », mais ils sont loin de partager le credo violent des jihadistes avérés qui n'hésitent pas à tuer sur place des individus innocents au nom de leur version extrémiste du religieux.

Le phénomène nouveau par rapport à l'Espagne de la guerre civile ou au gauchisme des années 1970 est la présence des mineurs, filles ou garçons, en leur sein : il est beaucoup plus facile de partir en Turquie pour ces jeunes manipulés[40] (et auto-manipulés) que pour ceux des années 1930. Désormais, il suffit d'acheter un billet d'avion et d'extorquer un peu d'argent aux parents ou d'en « emprunter » aux amis pour mettre en œuvre le projet du départ. Chez les mineurs, la dimension révolutionnaire est de loin dominée par le malaise post-adolescent et la crise identitaire : un monde « autre » paraît préférable à celui où on ne sait plus qui est ami et qui est ennemi, où le quotidien est dépourvu de message noble et de promesse d'un bonheur partagé avec les autres.

En Syrie, les pré-radicalisés se sur-radicalisent au contact de groupes comme le Front al-Nosra et, surtout, l'État islamique en Irak et au Levant, dont la cruauté et l'extrémisme surpassent de loin ceux d'al-Qaida. Ils suivent pendant plusieurs semaines des cours d'idéologie et un entraînement

---

39. Dounia Bouzar (2014) insiste particulièrement sur l'aspect identitaire, au détriment de la dimension d'affirmation de soi dans un projet destructeur.

40. Magali Judith, « Djihad en Syrie : "Nos enfants sont des adolescents manipulés, sous le joug de prédateurs terroristes" », *Le Monde.fr*, 2 mai 2014.

dans des zones d'intenses combats, se forment sur le terrain aux techniques de combat et de fabrication de bombes et, surtout, apprennent à se sacrifier pour la cause de la guerre sainte. Leurs motivations initiales, mélange de compassion humanitaire et de volonté de défendre leurs frères sunnites contre le régime chiite déviant d'Assad, se transforment sous l'effet d'une radicalisation hyperbolique. Une fois en Syrie, ils deviennent jihadistes au sens strict du terme.

Leur retour en Europe se révèle dès lors extrêmement dangereux. En effet, on peut qualifier de sur-radicalisation la situation globale de ces jeunes qui ont fait l'expérience en Syrie de la guerre totale et y ont appris sur le tas une cruauté justifiée au nom d'idéaux religieux extrémistes et déshumanisants, avec les perturbations mentales que cela suppose. Ils ont appris à être beaucoup plus insensibles à la souffrance des autres que les jihadistes maison formés sur la Toile à des techniques artisanales mal maîtrisées qui ont perpétré des actions violentes en Europe dans la première décennie des années 2000. Les sur-radicalisés sont même plus aguerris que les « Afghans » (les jihadistes européens ou arabes ayant participé à la guerre contre l'Union soviétique en Afghanistan). Leur nombre (plus de 2 000 Européens et au moins autant de Maghrébins dont certains auront accès à l'Europe), leur dépit face à un Occident qui n'a rien fait contre le régime sanguinaire d'Assad en Syrie, ainsi que leur savoir-faire technique (la guerre directe, fabrication des bombes) et leur endoctrinement idéologique virulent en font l'une des menaces intérieures majeures que l'Europe aura à affronter dans la décennie à venir, tant sur le plan humain que politique : les extrêmes droites européennes en tireront argument pour remettre en cause l'humanisme européen et son système politique ouvert.

Les types de radicalisation

On peut distinguer deux types de radicalisation : *ad extra* et *ad intra*. Dans le premier cas, le jihadiste part dans un autre pays, tentant d'y faire la guerre sainte pour des raisons religieuses ou idéologiques. Il en est ainsi de quelques centaines de Français qui se trouvent à présent en Syrie pour lutter contre le régime d'Assad dans des groupes islamistes radicaux. On peut citer aussi Farid Benyettou, 24 ans, qui en 2004-2005 convainquit une douzaine de jeunes Français d'origine maghrébine ou africaine du 19ᵉ arrondissement de Paris de partir lutter contre l'envahisseur américain en Irak – certains se firent tuer, d'autres furent arrêtés par l'armée américaine, d'autres enfin disparurent. Lorsque l'on entend en revanche accomplir le jihad dans le pays même où l'on réside, on dirige *ad intra* la volonté de lutter. C'est notamment le cas de Mohamed Merah en France, des frères Tsarnaev, auteurs des attentats du marathon de Boston en avril 2013, ou des Anglais Michael Adebolajo et Michael Adebowale qui ont mis à mort le soldat à Woolwich.

Autre distinction majeure : la radicalisation nationale et la radicalisation transnationale. La radicalisation nationale est fondée sur une cible précise, l'ennemi qui occupe le territoire ou est en lutte contre les forces nationales : l'armée indienne occupant le Cachemire du point de vue des nationalistes, ou l'armée israélienne occupant la Palestine, ou encore l'armée russe occupant le Caucase ou envahissant la Tchétchénie, etc. Son but ultime consiste à libérer le territoire national du joug de l'occupant. La radicalisation n'est pas « absolue », elle ne cherche pas à lutter contre un ennemi mondial et sans visage, elle vise un ennemi spécifique aux traits relativement bien définis. Dans la sphère islamiste, le Hamas a ainsi pour ennemi l'armée israélienne, pas l'humanité entière. En revanche, la radicalisation transnationale, celle des jihadistes dans le cas islamique, identifie un adversaire multiforme, varié à l'infini : les États-Unis, mais aussi, les gouvernements arabes soutenus par elle, l'Occident et son système impie, les chiites, les Croisés tout comme les « sionistes », sans oublier tous ceux dont la religion n'est pas abrahamique et à qui on dénie la liberté religieuse. En un mot l'ennemi, c'est le monde. Dans cette vision où la tuerie n'a pas de fin, la radicalisation étant l'équivalent de la « révolution permanente » à ceci près que la dimension religieuse fait intervenir des relations homme/femme et croyant/mécréant qui dépassent largement le cadre strictement révolutionnaire, la mort en martyr est exaltée. La radicalisation jihadiste procède d'une intransigeance et d'une haine inextinguibles. Les nationalistes qui se réclament de l'islam et du jihad, les islamo-nationalistes, savent bien qu'ils doivent éviter de coopérer avec les islamistes transnationaux du type al-Qaida. Lorsqu'ils le font, c'est que la dimension nationale se révèle impossible à réaliser de leur point de vue. C'est notamment le cas des Palestiniens du Liban, dont certains se sont convertis au jihadisme transnational quand ils ont été séparés des territoires palestiniens et livrés au vertige de l'enfermement dans des quartiers clos (Rougier 2004). Au Cachemire, les liens étroits du Lashkar-e-Taïba avec le jihadisme transnational sont dus d'abord aux péripéties de la formation de ce groupe (sa constitution en Afghanistan en 1981 pour lutter contre le régime communiste), ainsi qu'à sa proximité avec les talibans. Dans les années 1990, cette organisation s'est installée au Cachemire, prônant le rattachement de la partie indienne de cette province au Pakistan, État islamique. Elle a bénéficié du soutien d'al-Qaida, compte tenu de ses liens précédents. Elle souffre des mêmes ambiguïtés que l'État pakistanais et son puissant service de renseignement et de sécurité, qui coopère parfois avec al-Qaida tout en figurant comme l'allié des États-Unis dans la lutte contre le terrorisme jihadiste, un double jeu dénoncé en vain par les services de renseignement américains. Les mouvements palestiniens, même le Hamas ou le Djihad islamique, n'ont jamais coopéré avec al-Qaida, se distinguant de ce dernier par leur rapport au réel (la libération nationale) et par leurs liens avec les autres nationalistes, alors que le nationalisme est une forme d'hérésie (*cherk*) aux yeux des islamistes radicaux. Lorsqu'on change de registre et que l'on passe du national au transnational, la nature de la radicalisation change, ne serait-ce qu'en relation avec l'utopie (dans un cas la nation souveraine, dans l'autre un néo-califat dont les contours sont totalement flous) : les islamo-nationalistes sont moins rigoristes que les jihadistes, ils ont en vue une version de l'islam qui favorise la conscience d'appartenir à la même nation, alors que les islamistes radicaux abondent dans le sens de l'hégémonie islamique par-delà les distinctions liées à la nation ou à l'ethnicité. Seul les anime le mythe d'un État islamique universel, le néo-califat, qui s'imposerait à tous par la persuasion ou la contrainte ; la radicalisation est sans limites, puisque aucune solution concrète ne peut être apportée à une aspiration impossible à réaliser. La solution est la mort, l'aspiration à l'accueillir ou à la donner devenant la passion dévorante des jihadistes qui pensent s'accomplir d'autant mieux qu'ils pourront tuer davantage de mécréants, et faire leur bonheur par le martyre.

On peut ainsi classer un certain nombre des attentats commis ces dernières années dans un tableau à double entrée avec d'un côté la dimension du groupe impliqué, de l'autre la nature de l'attentat :

	Ad intra	Ad extra	Meurtre de catégories spécifiques de population	Tuerie indistincte	Utopie limitée	Utopie échevelée
Le singleton	Mohamed Merah ; Nidal Malik Hassan.	Les jihadistes européens en Syrie.	Baruch Goldstein, membre du groupe Kahaniste, tuant 29 Palestiniens et en blessant 125 en 1994 ; Nidal Malik Hassan tuant des militaires et catégories assimilées dans la base militaire de Fort Hood ; Mohamed Merah tuant des militaires musulmans et par défaut, des juifs.	Timothy McVeigh tuant 168 personnes et en blessant 680 à Oklahoma City le 19 avril 1995 (dénonciation du gouvernement « tyrannique » des États-Unis, mais en fait massacre de tous ceux qui étaient dans le bâtiment fédéral Alfred P. Murrah).		Mohamed Merah et la plupart des islamistes radicaux qui ont perpétré des attentats seuls en Europe ; Anders Breivik.
Le petit groupe (deux ou trois)	Les frères Tsarnaev ; les deux Anglais d'origine nigériane Michael Adebolajo et Michael Adebowale.	Les jeunes envoyés par Farid Benyettou en Irak.	Michael Adebolajo et Michael Adebowale pour le meurtre du soldat anglais (militaire).	Les frères Tsarnaev tuant des gens lors du Marathon de Boston.	Deux femmes kamikazes tchéchenes se faisant exploser dans un festival de rock à Moscou, le 5 juillet 2003 (15 morts, 60 blessés) ; deux femmes kamikazes se font exploser dans le métro de Moscou le 29 mars 2010, tuant 39 personnes et en blessant 71 autres.	Deux femmes kamikazes se faisant exploser sur un marché de Bagdad le 1er février 2008 sous l'instigation très probable d'al-Qaida, tuant 99 personnes.
Groupe de plusieurs personnes	Le « gang de Roubaix » en France ; al-Chabab en Somalie lié à al-Qaïda ; al-Qaïda au Maghreb islamique (AQMI) en Algérie ; al-Qaïda entre les deux rivières en Irak ; le groupe al-Nosra en Syrie, devenu une branche d'al-Qaïda ; Lashkar-e-Taïba en Inde (Cachemire).	Attentats du 11 septembre 2001 aux États-Unis ; attentats de juillet 2005 à Londres.	Attentats de Bombay en novembre 2008 (où Lashkar e-Taïba a joué un rôle essentiel) contre une synagogue juive.	Attentats du 11 septembre ; attentats de mars 2004 à Madrid ; attentats de juillet 2005 à Londres.	Les kamikazes palestiniens, tchéchenes, cachemiris... qui agissent dans le cadre du nationalisme.	Al-Qaïda et les groupes affiliés.

On peut aussi distinguer la radicalisation qui se produit dans des sociétés démocratiques de celle qui advient dans les États autoritaires. Si dans les deux cas les griefs et les idéologies radicales peuvent mener à la radicalisation, les deux types de régime politique, en raison de leur différence de nature, donnent naissance à des formes de radicalisation tout à fait différentes dans leur étendue, leur intensité mais aussi, dans les modalités de constitution des groupes radicalisés.

En Occident, l'acteur radicalisé constitue une infime minorité de la population, en raison de la nature ouverte du système politique. Même la minorité musulmane des pays européens (entre 2 et 8 % de la population selon les pays) est dans une écrasante majorité contre le jihadisme, ce qui renvoie les acteurs jihadistes à certains groupes de jeunes délinquants qui sympathisent avec eux sans aller, en général, jusqu'à franchir le pas et les suivre. En revanche dans les pays autoritaires, l'illégitimité du pouvoir procure une forme de légitimité à toute opposition même violente, et le jihadisme use de celle-ci pour s'attirer la complicité de nombreuses couches de la population. Actuellement en Égypte, la répression contre les Frères musulmans attire une partie de leurs sympathisants dans le giron du jihadisme et légitime les islamistes radicaux qui font prévaloir l'échec de «l'islam paisible» des Frères musulmans et ainsi user du recours à la violence. La violence de l'État illégitime justifie en partie la violence des extrémistes musulmans, dont le nombre de sympathisants est de loin supérieur à celui que l'on trouve dans les sociétés démocratiques où la dissension peut s'exprimer dans l'espace politique. Plus généralement, les pouvoirs autoritaires engendrent dans leur périphérie des types d'extrémisme qui s'enracinent dans la population locale, doublement marginalisée par le pouvoir: d'une part, comme la société civile dans son ensemble, en second lieu, en tant que périphérie. Ainsi, les islamistes radicaux du Caucase dirigés par Dokou Oumarov semblent être à l'origine des deux attentats perpétrés à Volgograd les 29 et le 30 décembre 2013, qui ont fait 17 morts et une quarantaine de blessés le premier jour, et 14 morts et 28 blessés le second. Une partie de la population musulmane de ces pays, où le gouvernement réprime dans la corruption généralisée, sympathise avec les radicalisés qui prennent le maquis (« la forêt ») pour mener la lutte. Ce n'est pas le cas en Europe occidentale, où même les musulmans exclus et stigmatisés des banlieues ou des quartiers pauvres ne partagent pas aisément le credo des jihadistes, quand bien même certains griefs liés à l'islamophobie et au rejet social peuvent éveiller en eux une sympathie diffuse. Dans les sociétés régies par des États autoritaires, tous les citoyens sont en un sens victimes d'exclusion politique et se sentent lésés, surtout si, en tant que musulmans, ils ont le sentiment d'être des citoyens de seconde zone non protégés par la loi et soumis à l'arbitraire des gouvernants. Le fait jihadiste prend alors une ampleur qu'il n'atteint pas dans les sociétés démocratiques où les citoyens bénéficient de droit d'un système judiciaire bien moins arbitraire. La dimension démocratique, si elle peut dans un premier temps favoriser l'éclosion de l'extrémisme – religieux ou non –, le dessert sur le long terme, ne serait-ce que parce que l'insécurité engendrée par les actions terroristes retourne l'opinion publique contre ceux ou celles qui les pratiquent. Dans les pays dominés par une autocratie (nombre de pays arabes, la Russie, ou encore les républiques d'Asie centrale), l'opinion publique n'existe pas ou elle est muselée, et ne peut donc pas exercer une influence modératrice sur les groupes tentés par la radicalisation ; seule la peur de la violence d'un État tyrannique peut prévenir l'extrémisme, mais ceci ne saurait être qu'un facteur négatif. Ainsi assiste-t-on à la recrudescence des groupes radicalisés dans des pays comme le Caucase russe, où l'Émirat du Caucase attire les jeunes et les pousse à commettre des attentats, non seulement dans la région, mais aussi à Moscou (double attentat dans le métro de Moscou en mars 2010 : 40 morts ; attentat-suicide à l'aéroport de Moscou-Domodedovo le 24 janvier 2011 : 37 morts).

Le rôle du fondamentalisme dans la radicalisation

Le fondamentalisme est-il l'antichambre de la radicalisation ou est-ce un obstacle à sa mise en œuvre?

Le fondamentalisme peut prendre des formes plus ou moins rigides : port du voile intégral par certaines jeunes femmes en dépit de la loi, revendication d'aménagements dans l'espace public pour l'islam ou le judaïsme par des adeptes de ces religions, conduite quelquefois prosélyte des protestants pentecôtistes, ou encore combat des Témoins de Jehovah pour obtenir le droit de refuser une transfusion sanguine, même vitale pour leurs enfants. Il se décline sous des formes plus ou moins radicales selon les religions et le contexte national et international. Le passage à la violence en relation avec le fondamentalisme n'est pas de même nature chez les catholiques, les protestants, les juifs et les musulmans.

Il n'y a pas de propension majeure à la guerre sainte dans le christianisme de nos jours. Une tendance mineure de ce type s'est manifestée dans le judaïsme dans les années 1970-1990, mais elle est pratiquement absente en Europe du début du XXIe siècle. L'islam jihadiste est la seule religiosité majeure qui prône la violence sacrée contre les « impies ». Certes, en termes statistiques, cette tendance n'a pas pu s'exercer de manière significative en Europe depuis 2005, mais la menace pèse et plusieurs tentatives d'attentat en Europe et aux États-Unis ont depuis été revendiquées en alléguant la version jihadiste de la religion d'Allah.

Deux types majeurs de fondamentalisme islamique peuvent être distingués en Europe. Tabligh wal da'wa (Association Foi et Pratique), groupe religieux transnational dont le siège est au Pakistan et qui a vu le jour à la fin des années 1920, est l'une de ces organisations qui peuvent être caractérisés comme «fondamentalistes» sans que l'expression dénote une quelconque dimension péjorative. Il s'agit d'une forme de religiosité qui se veut totalisante, englobant l'ensemble des dimensions de l'existence du croyant et fondée sur l'importance cruciale du *da'wa* ou prosélytisme religieux. L'organisation, qui a des ramifications partout en Europe, prône une vision rigoriste mais apolitique de l'islam, et son activisme se limite à l'appel à la foi, notamment auprès des musulmans «attiédis» qui ont une pratique laxiste. Des groupes restreints de tablighis font «la sortie» chaque semaine, surtout dans les banlieues en France, appelant les jeunes à rejoindre leurs rangs, le prosélytisme visant avant tout la jeunesse promise à la prison des quartiers «désaffiliés» où dominent délinquance et absence des normes sociales. Tabligh entend faire de ces jeunes des musulmans *born again*, les faire renaître en adhérant volontairement à la foi dans sa version du Tabligh.

Un autre groupe beaucoup moins organisé, les salafistes, dont les membres se reconnaissent une identité religieuse commune dans le rejet de la société «permissive» et dans le retour au mode de vie présumé du Prophète, a actuellement le vent en poupe en France et en Europe. Les salafistes font une interprétation littéraliste du Coran, appliquant avec rigorisme une vision religieuse qui doit beaucoup au wahhabisme pratiqué en Arabie saoudite. Ils refusent la mixité homme/femme, l'égalitarisme moderne du genre et le sécularisme. Ils constituent une forme quasiment sectaire de l'islam : mariage préférentiel entre les membres du groupe (tout comme les tablighis), identité vestimentaire par la barbe, la djellaba et le qamis, et chez les femmes, le voile plus ou moins hermétique allant jusqu'au voile intégral.

Ces formes de fondamentalisme islamique encouragent-elles le passage à l'islam radical ? La réponse sans équivoque est que dans l'écrasante majorité des cas, ces types de croyance sont au contraire une barrière à la radicalisation. Mais le problème se complique lorsque quelques-uns (une infime minorité) passent d'abord par ces organisations, puis en sortent pour rejoindre des groupuscules religieux beaucoup plus violents ou s'autoradicaliser. Dans ces cas on peut présumer que le fondamentalisme a été comme un apprentissage d'une vision fermée de l'islam qui s'est par la suite ancrée dans une tendance violente. Chez des individus fragiles, l'adhésion à ces organisations peut être vécue comme une propédeutique à la version violente de la religion, mais il s'agit là d'une perception subjective de l'individu et pas du but avoué ou de l'intention explicite de l'organisation.

Le fondamentalisme religieux peut désocialiser l'individu. Par exemple, en adhérant au salafisme, l'individu rejette le vivre-ensemble au sein de la société, refusant l'attitude tolérante (qu'il perçoit comme molle et pervertie) vis-à-vis des autres religions, la promiscuité (qu'il ressent désormais comme un péché), ainsi que les diverses formes de consumérisme, notamment l'alcool, et la liberté sexuelle, bref toute attitude sortant du cadre étroit que lui assigne sa vision religieuse. Le fondamentalisme est ainsi l'apprentissage d'une certaine intolérance, celle-ci conduisant l'adepte à dénier toute légitimité aux autres comportements. Tant que cette intolérance s'inscrit dans le cadre d'une conception normative qui n'implique pas l'action violente vis-à-vis des autres, l'action salafiste peut être comparée à d'autres formes de sectarisme qui sont perçues comme illégitimes mais pas illégales par les citoyens laïques.

La différence entre l'islam et les autres religions mono-théistes dans la période actuelle est que cette intolérance peut se muer en action violente légitimée selon une version fortement marginale mais non discréditée de la religion d'Allah : le jihadisme. Cette transition ne se fait que fort rarement, mais quelques adeptes du Tabligh ou du salafisme ont pu passer au radicalisme islamiste après avoir quitté ces deux organisations.

Le problème est qu'en étendant indûment la suspicion à l'ensemble des adeptes du fondamentalisme islamique, on provoque une stigmatisation qui peut à la limite contribuer à créer l'effet de radicalisation que l'on souhaitait précisément éviter. Une forme de « prophétie autoréalisatrice » se mettrait ainsi à l'œuvre, qui pousserait à la radicalisation ceux-là mêmes que l'on soupçonne de radicalisme par leur attitude intégriste. Cela met en avant la spécificité française eu égard à la radicalisation : une version « fondamentaliste » de la laï-cité pourrait pousser à la radicalisation ceux qui, autrement, s'en tiendraient au fondamentalisme sectaire.

Lorsque l'on prend en considération la fixation d'une par-tie de la société française sur le voile islamique et le nombre de lois et de règlements mis en œuvre pour lutter contre cet insigne religieux, on comprend quel effet de suspicion généralisée cela peut faire peser sur le fondamentalisme islamique, et combien cette logique de stigmatisation peut amener certains adeptes à une attitude d'intransigeance radicale : loi interdisant les signes religieux ostentatoires à l'école en 2004 puis loi sur le voile intégral en 2010, débats soulevés par le port du voile dans les structures d'accueil de la petite enfance (l'affaire dite de la crèche Baby-Loup où une employée portant le foulard islamique a été licenciée, cette décision étant contestée devant la justice) – tous ces phénomènes révèlent une focalisation sur la religion d'Allah qui met mal à l'aise les musulmans, tant dévots que non pratiquants, et que d'aucuns qualifient d'islamophobes. On est en droit de parler d'un «fondamentalisme laïque» face au fondamentalisme islamique, compte tenu de la frilosité dont font preuve certains groupes laïques vis-à-vis de l'habillement islamique et, plus généralement, de l'islam dans l'espace public.

Reste que la radicalisation jihadiste, si elle peut tenter de se justifier en arguant de l'intolérance face à l'islam, existerait même sans fondamentalisme laïque. L'horizon de ses griefs est beaucoup plus large que la seule affaire du foulard islamique, l'intolérance islamiste s'abreuvant aux sources vives de l'idéologie extrémiste d'un nouveau groupe social transnational qui s'identifie à la guerre sainte contre le monde entier. La question du fondamentalisme islamique surgit dans une société française où l'identité nationale, de nature fondamentalement politique, a été mise à mal par la globalisation économique, mais aussi par le déni de l'autonomie nationale dans une Europe beaucoup plus proche du multiculturalisme anglo-saxon que de la laïcité à la française.

Le salafisme : nouvelle forme émergeante du sectarisme en islam

Dans les banlieues, il y a une quinzaine d'années, les tablighis avaient le vent en poupe. À présent, les salafistes sont en train de les supplanter. Leur mode d'organisation décentralisé et souple, leur défense de la version wahhabiste de l'islam, leurs apprêts vestimentaires, leur vision du monde fondée sur la ségrégation rigoureuse de l'homme et de la femme et leur rejet de tout compromis avec les idéaux modernes font d'eux les partisans par excellence de la version rigoriste de l'islam. Ils refusent ce qualificatif, se disant simplement les défenseurs de l'islam authentique, les autres étant inauthentiques par définition. Là où ils se trouvent, ils font corps; leur cohésion est localement forte, leur habillement permettant à leurs partisans de se reconnaître avec une grande facilité. Dans les banlieues comme en prison, la plupart des conversions suivent leur modèle de religiosité. Ils incarnent un idéal islamique reposant sur deux principes: une inflexibilité fondée sur le Texte (*nass*, en d'autres termes, le Coran), et une lecture qui exclut du Coran et des *hadiths* toute vision conciliant la tolérance et l'ouverture vers la diversité des conceptions religieuses. Le salafisme remplit une fonction « contre-anomique » fondamentale, puisqu'il apporte des solutions imaginaires simples aux problèmes réels et complexes de la modernité, et met fin au sentiment de solitude et de perte de repères dont souffraient ses adeptes. Il impose des limites là où les frontières modernes sont floues: la distinction entre les droits de l'homme et de la femme (égalitarisme moderne), le permis et le prohibé (dans le monde anomique moderne, tout ce qui ne porte pas tort à autrui est censé être permis, ouvrant l'espace du possible mais soumettant l'individu à la rude épreuve de sa liberté), le juste et l'injuste, ce qui relève de l'homme et de son libre-arbitre et ce qui relève de Dieu et de sa toute-puissance... Le religieux devient omniprésent et enserre dans ses mailles de nombreux domaines que les sociétés modernes vouent au libre-arbitre individuel et au suffrage collectif[41]. Dans la

---

41. Pour les salafistes, la démocratie moderne est une forme d'idolâtrie, le juridique et le politique relevant de Dieu, dont les commandements à ce sujet sont fixés dans le Coran et les *hadiths*.

conception salafiste, l'islam est présenté comme l'antidote au laxisme et à l'impuissance moderne à régir la vie sans qu'elle sombre dans le désespoir et le nihilisme. Évidemment, nombre de sympathisants n'adhèrent au salafisme que pour un temps, s'en éloignant ensuite progressivement à cause de son rigorisme. Mais un noyau dur s'est constitué, qui s'est désormais enraciné dans une « tradition » nationale, voire locale : le mouvement peut s'enorgueillir d'une seconde génération qui suit la voie de la première, ayant appris sur le tas la langue arabe, pratiquant la lecture du Coran, donnant le sens du permis et du prohibé indépendamment des imams d'autres obédiences (comme ceux de la Mosquée de Paris) et prenant progressivement possession de nouveaux lieux de culte, à mesure que cette version de l'islam se répand dans les grandes villes et les banlieues (voir Adraoui 2013). La très grande majorité de ceux qui adhèrent à la tendance majeure du salafisme dans les quartiers périphériques prennent leur distance vis-à-vis du jihadisme : ils visent avant tout l'islamisation par le bas et, plutôt que du *jihad*, rêvent de la *hijra*, l'exode vers des terres islamiques où ils pourraient vivre leur foi plus librement qu'en France laïque. Mais quelques-uns des adeptes trouvent cette version de la foi peu engagée et optent pour une conception extrémiste qui leur ouvre les portes de la lutte armée.

Désormais, les salafistes font partie du paysage musulman en France et dans les grandes villes, on en trouve toujours quelques adeptes. Dans plusieurs grandes villes ils disposent déjà de leur propre mosquée. La majeure partie des convertis est attirée par leur version rigoriste de l'islam, qui paraît d'ailleurs aussi la plus légitime à de nombreux musulmans, même ceux qui ne la suivent pas strictement. Ils ont réussi, en une dizaine d'années, à constituer une intelligentsia qui décrète ce qui est licite et illicite, les adeptes apprenant l'arabe avec zèle et se renseignant sur les *hadiths* corroborant leur point de vue par rapport à d'autres versions de l'islam (comme le réformisme musulman) sur de vastes sujets.

Inflexibles sur la foi, certains salafistes s'accommodent de nombre d'entorses comme le trafic de produits illicites (les drogues) qu'on aurait pu croire incompatibles avec l'orthodoxie religieuse. Ils se justifient en invoquant les nécessités de la vie dans une société de *jahiliya*, c'est-à-dire une société où la foi en Allah ne règne pas et où les valeurs islamiques ne sont pas respectées.

Le phénomène salafiste ne revêt pas une signification univoque. La grande majorité des salafistes ne se radicalise pas, épousant un fondamentalisme rigoriste, dont l'horizon fermé procède davantage d'une religiosité sectaire mais non-violente que de la volonté d'en découdre avec la société par la violence. Cette conception religieuse rompt néanmoins avec les formes dominantes et introduit un mode d'être qui risque de désocialiser l'individu qui y adhère. En tout état de cause, le salafisme constitue un défi lancé aux normes laïques en vigueur au nom du fondamentalisme, pas du jihadisme.

La radicalisation en prison

La radicalisation ne se produit pas uniquement dans la société globale, elle peut aussi advenir au sein des organisations et des institutions comme la prison, l'armée, l'école, voire l'hôpital…

Aucun phénomène de radicalisation massive n'a encore été observé à l'école, à l'hôpital ou dans l'armée de métier. La prison en revanche reste l'institution la plus exposée, dans la mesure où y vivent en cohabitation forcée des individus condamnés ou en attente de jugement qui ont un rapport souvent tendu avec la société et souffrent quelquefois de frustration sociale, d'exclusion économique ou de stigmatisation culturelle. Chez eux, la contrainte institutionnelle peut se traduire par une disponibilité supplémentaire à la radicalisation.

La radicalisation en prison remet en cause la pertinence de la théorie du « choix rationnel », du moins du côté d'une grande partie de ceux que nous appelons les « radicalisés », par opposition aux « radicalisateurs ». Le radicalisateur joue sur la fragilité psychologique de l'individu qu'il entend embarquer dans son entreprise extrémiste sans attirer l'attention des services de renseignement. C'est pourquoi il opte pour un groupe de dimension très réduite (deux ou trois personnes en tout). L'observation de ce phénomène sur un cas concret en prison nous a beaucoup renseigné sur ce nouveau modèle. Une jeune homme très fragile sur le plan mental (famille désunie, violence, problèmes d'adaptation à la vie faisant suite à l'abandon de la maison parentale…) purge une peine ferme de plus de dix ans pour crime aggravé, le juge n'ayant pas cru à ses allégations d'absence de préméditation. Il est abordé par un islamiste radical qui réussit à dominer son appareil psychique fragile et à l'endoctriner en se focalisant sur la guerre sainte. La tâche de radicalisation est déjà menée à bien lorsque la direction de la prison se rend compte, sur le tard, de l'influence du radicalisateur sur le détenu en question et fait transférer le premier dans une autre prison. Après cette séparation, l'état du détenu radicalisé empire. De fait, l'action du radicalisateur sur lui relève de l'ensorcellement : le radicalisateur a exercé un type particulier d'envoûtement sur le détenu à appareil psychique fragile qui devient littéralement fasciné par cette vision des choses sans être à même d'exercer ses facultés critiques ni de se renseigner personnellement sur l'idéologie ou la vision en question (la plupart des individus radicalisés ne sont pas dans le cas de figure de l'ensorcellement, puisqu'ils ont une idéologie à laquelle ils s'identifient de manière plus ou moins raisonnée). Tant que les thèmes radicalisants sont là, c'est-à-dire que le radicalisateur les soutient de sa présence, le détenu fragile se porte bien ; il montre des signes d'amélioration de son comportement et une sorte d'épanouissement passager, à rapprocher de la phase maniaque des patients maniaco-dépressifs. Mais une fois le radicalisateur évacué par les autorités carcérales, le radicalisé fragile tombe dans une profonde « dépression », beaucoup plus accentuée que par le passé, l'ensorcellement exerçant ses effets dévastateurs, sous de multiples formes, sur son comportement (fermeture sur soi, tentations suicidaires, volonté d'en découdre avec les autres et « délires » au sujet du jihad). On retrouve ce schéma dans plusieurs duos de radicalisation en vase clos, avec des nuances selon le degré de lucidité du radicalisé.

Ce nouveau type de radicalisation met en cause la normalité psychologique d'une partie non négligeable des personnes impliquées, radicalisés ou radicalisateurs, alors que cette normalité est postulée pour la majorité de ses acteurs dans les théories dominantes[42]. En prison, nombre d'individus psychologiquement fragiles, voire psychopathes et instables, sont fascinés par la radicalisation. Ils parviennent d'autant plus facilement à joindre des groupuscules très limités en nombre qu'il est aujourd'hui devenu impossible de constituer des

---

[42]. La littérature sur les islamistes radicaux fait en général le constat de la « normalité » de l'écrasante majorité d'entre eux. Le problème est que cette littérature se fonde sur l'étude du jihadisme au début des années 2000, quand dominait le modèle d'al-Qaida, et ignore le nouveau paradigme apparu depuis, selon lequel les acteurs sont plus éparpillés et souvent plus fragiles psychologiquement. Voir par exemple les ouvrages de Diego Gambetta (2005), Marc Sageman (2004, 2008), marqués par le type « classique » du jihadisme.

groupes structurés où la rationalité instrumentale prendrait le dessus. Dans des organisations comme al-Qaida avant le 11 septembre, l'exigence d'efficacité excluait les personnes psychologiquement trop fragiles. Dans le nouveau paradigme, les leaders charismatiques (les «radicalisateurs» selon notre jargon), de même que nombre de «radicalisés», sont exposés à des troubles mentaux.

Si l'islam est choisi comme point de focalisation de nombre des détenus, c'est parce qu'il est devenu «la religion des opprimés» en Europe, attirant autant les jeunes issus de la deuxième ou troisième génération de l'immigration maghrébine, qui souffrent de l'anomie mais aussi du racisme, que les jeunes convertis qui trouvent dans l'islam radical la dimension anti-impérialiste incarnée dans les années 1970 par les mouvements gauchistes radicaux, à présent disparus de la scène, du moins dans leurs tendances violentes. Se réclamer de l'islam peut ainsi revêtir une multiplicité de significations, allant de la volonté de croiser le fer avec un Occident arrogant (anti-impérialisme) à celle de revenir à une famille patriarcale où les rôles dévolus à la femme et à l'homme sont définis de manière inégalitaire. Pour les jeunes femmes adeptes de l'islamisme, beaucoup plus rares que les hommes, c'est l'affirmation paradoxale de soi en rupture avec les orientations culturelles occidentales qui est en jeu dans leur adhésion à un patriarcalisme à contre-courant des mouvements féministes et de leurs acquis depuis un demi-siècle.

La prison est le creuset où le malaise identitaire des jeunes générations issues de l'immigration nord-africaine trouve un lieu privilégié de développement, ne serait-ce qu'en raison de leur proportion élevée dans la population carcérale (aux alentours de la moitié des détenus sont musulmans selon toute vraisemblance, alors même que les musulmans, pratiquants ou non, forment environ 8 % de la population française[43]).

En un sens, la radicalisation en prison reflète les tendances majeures à l'œuvre dans la société française; dans un autre sens, il y a une spécificité de l'espace carcéral où le contrôle par les autorités est beaucoup plus grand qu'à l'extérieur, mais où, en raison même de la surpopulation, le processus de radicalisation peut s'intensifier sous des formes inédites. Le rôle de la télévision n'est pas à négliger. Il y a quelques années, l'accès à la télévision était relativement cher. À présent, pour moins de 10 euros par mois, on peut accéder aux différentes chaînes publiques et la télévision occupe une place prépondérante dans la socialisation des détenus, mais aussi dans l'exacerbation de leur sentiment d'injustice dès lors qu'il s'agit du monde musulman, de ses troubles, et de la manière dont l'Occident règle ses problèmes en intervenant directement ou indirectement. Les réactions des détenus musulmans lors de l'affaire Merah sont intéressantes à confronter: pour la plupart des personnes interviewées, Merah n'aurait pas dû s'attaquer à des enfants, même juifs; si quelques-uns interprétaient son action comme inspirée par l'islam, d'autres n'y voyaient qu'inconscience et haine aveugle. L'important est surtout que nombre de détenus ont dissimulé leur point de vue réel, l'éludant sous une forme ou une autre, de peur que je sois un indicateur de la police ou de la prison. Ce sont d'autres détenus, quelquefois plus

---

43. Dans les prisons aux alentours des grandes villes, notamment en Île-de-France ou près de Lyon ou Marseille, le taux des détenus qui se réclament de la religion d'Allah (qu'ils soient pratiquants ou non) oscille entre 40 et 70 % de la population carcérale, même si les statistiques manquent pour corroborer ces données fondées sur des indices indirects (l'opinion des imams, les repas servis pendant le jeûne du Ramadan, les noms ou prénoms arabes, l'estimation des surveillants en contact direct avec les détenus...; voir Khosrokhavar 2004).

âgés, à la parole plus libérée, qui m'ont fait part de l'admiration qu'une partie des jeunes prisonniers vouait à Merah, en dépit du meurtre des enfants désapprouvé par la plupart d'entre eux. Mohamad Merah a été un peu le héros contesté d'une partie des jeunes des banlieues et des prisons dans la décennie présente, comme Khaled Kelkal l'avait été il y a une quinzaine d'années – tous deux ont été abattus par les forces de l'ordre, leur mort les rehaussant au rang de héros pour les uns, de martyrs pour les autres.

La radicalisation en prison tient aussi aux conditions spécifiques de la condition carcérale. L'organisation globale de la prison et jusqu'à son architecture peuvent ainsi favoriser ou faire obstacle à la radicalisation. Dans certaines prisons comme la maison centrale de Clairvaux, une tradition de gestion «libérale» et de tolérance limite la frustration due aux conditions de détention et, partant, la radicalisation qu'elle peut entraîner. À l'inverse, dans des prisons réputées disciplinaires, la succession des humiliations et des frustrations, ainsi que l'incompréhension dont les autorités font preuve à l'égard des demandes légitimes des détenus – accès aux loisirs et notamment au sport, vie décente dans une cellule à deux maximum, conditions normales pour l'exercice de sa foi (la célébration de la prière collective du vendredi) ou conditions moins draconiennes pour la visite familiale au parloir – peuvent contribuer à la radicalisation.

La frustration en prison

Pour de multiples raisons parmi lesquelles le nombre limité des aumôniers musulmans, ceux-ci ne sont pas à même de célébrer la prière collective du vendredi dans de nombreuses prisons. Cela engendre des frustrations profondes chez les détenus musulmans, pratiquants ou non, qui vivent cette impossibilité comme une manifestation de mépris de la part de l'institution carcérale à l'égard de l'islam. Peu importe si ce sentiment est fondé ou pas (il l'est en partie, surtout concernant l'attitude d'une partie du personnel, mais bien des griefs formulés par les détenus contre l'institution carcérale au sujet du rejet de l'islam peuvent aussi être attribués à d'autres causes que l'islamophobie). Nombre de détenus pensent sincèrement, à tort ou à raison, que l'islam est l'objet de discrimination par rapport au christianisme et au judaïsme. Ils citent volontiers les restrictions liées à l'exercice du culte musulman en prison et en particulier l'absence de la prière collective du vendredi dans certaines prisons alors que les messes du dimanche ou les prières du sabbat le samedi vont de soi.

À cette frustration majeure s'ajoutent :

– la difficulté de prendre avec soi son tapis de prière, souvent interdit par les autorités carcérales, qui y voient peu ou prou un signe ostentatoire de religiosité dans l'espace public tandis que les détenus le considèrent comme une partie intégrante de leur prière individuelle (mais aussi collective, faute de grand tapis dans la plupart des salles de culte des prisons). De plus, certains tapis de prière intégrant une boussole (métallique) pour indiquer la direction de la Mecque ne passent pas les contrôles de sécurité, car la boussole pourrait ne pas être le seul objet métallique dans le tapis et s'en assurer nécessiterait d'y faire des déchirures multiples ;

– l'interdiction de porter la djellaba et le qamis, considérés par l'administration pénitentiaire, dans la plupart des prisons, comme un signe ostentatoire de religiosité ;

– la difficulté d'obtenir de la viande ou des ingrédients halal dans les cantines de certaines prisons. Les détenus taxent parfois de frauduleuses les marques de poulet ou de viande halal disponibles et prêtent alors à la prison la volonté délibérée de les tromper. Ils évoquent souvent à l'appui de leurs dires des émissions télévisées dénonçant les marques « trafiquées » ;

– le manque d'imams à qui faire part de ses soucis et doléances. Comme le prêtre pour les catholiques, l'imam a en prison la fonction majeure d'être une sorte de confident pour le détenu qui voudrait faire part de ses soucis et angoisses, et trouver une réponse religieusement agréée à ses inquiétudes. Or souvent, pour avoir accès à l'imam, il faut lui écrire et attendre plusieurs semaines avant qu'une première visite ne soit organisée, à supposer qu'elle ait jamais lieu. Ces délais sont longs et difficiles à supporter pour des prisonniers qui ressentent le besoin de communiquer avec une personne digne de confiance ;

– l'insuffisance des rations alimentaires proposées par la prison aux détenus pour célébrer la rupture du jeûne le soir du Ramadan : le sachet supplémentaire – du lait, des dattes, du jus de fruit et quelques autres ingrédients – semble provoquer la colère ou l'ironie acerbe des détenus qui y voient la marque d'un mépris évident de la part des autorités carcérales vis-à-vis de leur religion et de leur personne. En comparaison avec l'indigence de ce sachet, le colis de Noël pose problème : pourquoi ne pas avoir à l'occasion de fêtes musulmanes le même type de colis, suggéraient des détenus pour qui ce choix de Noël montrait bien la suprématie du christianisme dans une république pourtant laïque.

En prison, l'islam est dans l'ensemble vécu par une partie de ses adeptes comme une religion maintenue dans l'infériorité, ceux-ci étant mis en demeure de subsister dans une situation « d'opprimé de l'intérieur ». Le sentiment de victimisation est extrêmement développé chez les musulmans en prison et peut se transcrire aisément dans un langage de frustration généralisée.

Les aumôniers musulmans et leur rôle malaisé de médiateur

En moins d'une décennie, le nombre des aumôniers musulmans dans les prisons a plus que doublé : ils étaient une soixantaine avant 2005 et sont à présent environ 160. Mais ce chiffre dissimule un manque grave. À supposer qu'une moitié des détenus soit de confession musulmane (nous ne disposons pas de chiffres pour des raisons légales, mais cette proportion, qui englobe pratiquants et non-pratiquants, a rencontré pendant nos entretiens l'adhésion des responsables), il faudrait au moins le triple du nombre actuel des imams pour satisfaire la demande des détenus d'avoir les mêmes conditions que les catholiques ou les protestants.

L'insuffisance du nombre d'imams est manifeste dans les maisons d'arrêt, surtout près des grandes villes : une forte demande de la part des détenus ne peut être satisfaite dans l'état actuel. Cette faiblesse numérique rend possible l'influence des individus radicalisés qui peuvent, du fait de l'inévitable promiscuité induite par la surpopulation carcérale, s'autoproclamer imams et proposer à une partie des détenus leur interprétation radicale de la religion. Ils transforment ainsi en une colère sacrée la haine que certains détenus, notamment d'origine nord-africaine, portent à la société. Or dès lors que la haine se transcrit dans le registre du sacré, la mutation est profonde : elle s'en prend au corps social dans une furie aveugle qui peut se traduire par des tentatives de mise à mort globale. Cette mutation est incomparablement plus dangereuse que la déviance ou la délinquance atomisées qui animent l'individu cherchant à s'enrichir et à se rehausser au niveau des classes moyennes dont il se sent indûment exclu par la malveillance et le racisme du reste de la société. Sans un ministre du culte pour empêcher la sacralisation de la haine, l'individu instable qui n'a connu que l'exclusion sociale et l'indignité intériorisée risque de transcrire sa rage et son désir de vengeance sous une forme totalisante, devenir jihadiste. Il le fait en référence à son passé mythifié, à ses ancêtres musulmans qui ne sont plus mais dont le spectre le hante comme seule référence à l'authenticité dont il se sent banni. La prison peut ainsi devenir le lieu redoutable où le jeune exclu d'origine musulmane découvrira un islam guerrier et où quelques personnes exaltées suffiront pour le transformer en véritable faucon agissant au nom de la guerre sainte.

Par ailleurs, certains jeunes en voie de radicalisation évitent les imams qu'ils pensent être les «sbires» de l'administration pénitentiaire, ou bien qu'ils pensent non compétents – ou moins qu'eux – en islam.

Enfin, certains détenus rivalisent en érudition islamique, notamment pour ce qui concerne la connaissance du droit islamique (*fiqh*), la lecture et la récitation du Coran, normée par les règles du *tajwid* (art difficile qui exige des centaines d'heure d'application en plus de la lecture du Coran). La prison devient pour eux le lieu d'une forme d'approfondissement des préceptes et des lois islamiques, ce qui peut les détourner de la radicalisation : ils pensent alors, une fois sortis de prison, immigrer vers des terres islamiques au lieu de s'engager dans la guerre sainte. Au *jihad* (guerre sainte), ils préfèrent ainsi la *hijra* (exode), solution paisible à un conflit identitaire ou à une vision religieuse qui entre en conflit avec la société sécularisée. Dès lors, leur relation avec les aumôniers musulmans devient «neutre».

Dans l'ensemble, les imams jouent un rôle plutôt positif vis-à-vis des détenus qui pourraient se radicaliser en leur absence. Ils font appel à des notions coraniques aux antipodes de celles développées par les extrémistes religieux, par exemple la patience (*sabr*), notion à laquelle un imam d'une grande prison de l'Île-de-France a consacré plusieurs séances de discussions, soulignant la nécessité de ne pas se précipiter sur des solutions aventureuses et de s'armer de patience pour les temps meilleurs, promis par Dieu.

La radicalisation carcérale et ses acteurs

Parmi les institutions où la radicalisation peut se développer, la prison occupe une place à part. De nombreux cas de radicalisation y ont été observés, que ce soit sous l'influence d'individus déjà condamnés pour association de malfaiteurs en vue d'une action terroriste ou, de manière plus ou moins autonome, au nom d'une idéologie extrémiste, la frustration induite par la vie carcérale jouant souvent un rôle d'adjuvant.

On peut distinguer trois catégories d'acteurs radicalisés en prison :

– ceux qui ont déjà un passé solide de « terroriste » (condamnés pour « association de malfaiteurs en vue d'une action terroriste ») ;

– ceux qui veulent se mettre sous la protection d'un leader afin d'échapper à des pressions exercées par des caïds ou d'autres individus visant à exploiter leur faiblesse physique ou morale, et qui se radicalisent de manière instrumentale, du moins au début. Par la suite, l'engrenage de l'action et la dynamique des groupes peuvent en faire des radicalisés authentiques ;

– ceux qui entendent monnayer leur appartenance à la mouvance islamiste afin de gagner en prestige ou en capacité d'action, le référent islamiste radical étant pour eux un tremplin pour accéder à la « gloire », surtout en prison. Si leurs motivations diffèrent de celles du premier groupe, ils le rejoignent plus ou moins au sein de la mouvance terroriste ou en tant qu'autoradicalisés dans la réalité des faits.

Le dernier groupe est plutôt en régression, compte tenu de l'action menée par l'administration carcérale et de la surveillance étroite, quotidienne, exercée sur les individus convaincus de terrorisme ou de prosélytisme, ou soupçonnés de devoir leur prestige auprès des autres détenus à leur allégeance à l'islam radical. Mais il en demeure quelque chose, par exemple dans la popularité dont jouit le frère de Mohamed Merah en prison auprès de certains jeunes : Abdelkader Merah est considéré comme le frère d'un héros, l'héroïsme de son cadet rejaillissant sur lui d'autant plus que son incarcération prouve qu'il partage les vues de ce dernier et l'a peut-être même aidé. Or, pour des détenus qui souffrent d'être des « moins que rien », sortir de la mêlée et atteindre « la gloire » est important.

Le rôle des individus déjà radicalisés est essentiel dans la radicalisation des autres détenus : ils contribuent à inscrire sur le registre religieux ce qui relève du politique et que les autres détenus ne perçoivent pas, avant de les rencontrer, comme susceptible de se traduire dans un idiome islamique. Par leur existence même, ces détenus déjà radicalisés incarnent la politisation de l'islam, la violence exprimant le registre de l'action là où le religieux devient une idéologie de combat au nom d'une conception politique du sacré. Ils peuvent être des personnalités charismatiques ou des « meneurs » à même de donner sens à la frustration des détenus fragiles en quête d'un bouc émissaire (la France, l'Occident ou encore tel pays particulier) pour traduire leur malaise dans une action salvifique.

Les islamistes radicaux aident le détenu à cesser de considérer l'islam davantage comme un mode de vie individuel et ritualiste que comme un diktat collectif et lui font adopter une vision où le politique se subsume comme une sous-catégorie du religieux. Les détenus déjà radicalisés peuvent aisément devenir les « traducteurs » d'un registre (le politique) dans un autre, le religieux. Désormais, tout événement politique ou social est susceptible de s'interpréter à l'aune de l'islam radicalisé, la solution miracle étant le passage à la violence sacralisée.

– Le nouveau radicalisme en marche –

La radicalisation s'effectue dans un environnement international marqué par l'émergence du monde musulman comme théâtre de mouvements islamistes, voire jihadistes, depuis la Révolution islamique en Iran en 1979. Les années 1990-2010 ont vu le changement de stratégie des mouvements islamistes radicaux comme al-Qaida, et le déplacement de la cible de «l'ennemi proche» constitué par les régimes musulmans à «l'ennemi lointain», c'est-à-dire les États-Unis et l'Europe (Filiu 2006). Avec les révolutions arabes de 2010-2011, l'islamisme radical a marqué un répit pendant un temps au sein du monde musulman, pour repartir de plus belle avec l'apparition des États défaillants en Libye et au Yémen, et surtout avec la guerre civile en Syrie, qui a attiré des jeunes en voie de radicalisation du monde entier, notamment de l'Europe et en particulier de la France[44].

---

44. «ICSR Insight: European Foreign Fighters in Syria», 2 avril 2013, [en ligne], http://icsr.info/2013/04/icsr-insight-european-foreign-fighters-in-syria-2/, [dernière consultation en mai 2014]. Cette étude estime le nombre des jihadistes européens en Syrie entre 135 et 590 individus, dont 30 à 92 Français. Depuis, ces chiffres ont été considérablement augmentés: selon de nouvelles sources, quelque 1 500 à 2 000 Européens se seraient enrôlés en Syrie, dont quelques centaines de Français. Voir «Syrie: de plus en plus d'Européens grossissent les rangs djihadistes», *Le Point.fr*, 5 décembre 2013.

Depuis les années 1980, le jihadisme est passé par plusieurs phases qui se sont déroulées dans de nombreux pays, à commencer par l'Afghanistan où l'invasion soviétique en 1979 a ouvert un front vers lequel se sont rués les islamistes de tous bords, aidés par l'Occident, afin de lutter contre le régime soviétique. L'origine historique d'al-Qaida remonte à cette période où Ben Laden et ses adjoints ont envoyé des volontaires entraînés dans des camps séparés en Afghanistan. En 1989, une fois la guerre terminée et l'armée russe partie, une grande partie de ces «Afghans» (vétérans d'Afghanistan, ainsi nommés dans leur pays d'origine) sont rentrés chez eux, pour lancer cette fois le jihad à l'intérieur. Ils ont souvent formé le premier noyau des jihadistes dans les différentes sociétés, enseignant les techniques de combat de guérilla et de fabrication des bombes, même si, dans la situation de guerre de basse intensité qui était celle de l'Afghanistan, les jihadistes étrangers avaient souvent été laissés à l'écart des combats.

Par la suite, une nouvelle génération de jihadistes a émergé, en Occident aussi bien que dans le monde musulman, faite de jeunes dont l'apprentissage guerrier se faisait sur la Toile beaucoup plus que sur le terrain. Ils se sont révélés, dans l'ensemble, de piètres artificiers mais de fins connaisseurs d'Internet et de ses arcanes.

On peut maintenant parler d'une troisième génération de jihadistes dont la formation se fait dans les pays arabes à l'État défaillant, à la suite de la crise induite par les révolutions arabes, notamment au Yémen, en Libye, et sur la frontière algéro-tunisienne, mais aussi et surtout en Syrie. Ce pays est en proie à une atroce guerre civile depuis 2013 (en 2012, il y avait encore une opposition pacifique qui tentait de maintenir les idéaux des révolutions arabes malgré l'exacerbation des combats de rue). Désormais, il existe un front triangulaire où l'armée d'Assad affronte l'Armée libre syrienne, mais aussi les jihadistes (le Front al-Nosra et d'autres groupes se réclamant de l'islam radical comme l'État islamique en Irak et au Levant, EIIL, connu aussi sous le nom État islamique), la lutte s'enchaînant aussi entre ces groupes d'opposition, les islamistes radicaux du Front al-Nosra contre EIIL. Plus de 10 000 jihadistes étrangers combattent en Syrie, dont approximativement 2 000 Européens et environ un millier de Tunisiens[45]. Ces individus se trouvent plongés au cœur de combats violents. En effet, en Afghanistan, on comptait 3 000 à 5 000 jihadistes étrangers, dont 10 % seulement prenaient part aux combats, les autres demeurant dans les camps ou restant dans les zones tribales pakistanaises (Bergen 2006) ; une cinquantaine d'Arabes venus du Moyen-Orient ont dû périr, contre un million d'Afghans, les combattants étrangers représentant moins de 0,5 % des forces luttant contre les Soviétiques[46]. Cet état de fait contraste avec la situation en Syrie. D'une part, il n'est pas possible, comme ça l'était en Afghanistan, de demeurer dans des zones de conflit de basse intensité. D'autre part, la proportion des jihadistes étrangers face aux jihadistes de l'intérieur a profondément changé : l'Armée libre syrienne ne disposant vraisemblablement pas de plus d'une centaine

45. On compterait en Syrie, selon certaines estimations, plusieurs centaines de jihadistes libyens, plus de 1 000 tunisiens, plusieurs centaines d'égyptiens, un millier de saoudiens, quelques dizaines d'algériens et plusieurs douzaines de marocains. Les pays qui ont été le théâtre des révolutions arabes de 2010-2012 ont un nombre beaucoup plus importants d'adeptes au jihad en Syrie, notamment en raison de la défaillance de l'État central. Voir «The Phenomenon of Foreign Fighters from the Arab World in the Syrian Civil War», The Meir Amit Intelligence and Terrorism Information Center at the Israeli intelligence & Heritage Commemoration Center, mai 2014, [en ligne], http://www.terrorism-info.org.il/en/article/20646 [consulté en juin 2014].
46. José Garçon et Jean-Pierre Perrin, «Les Américains n'ont pas fabriqué Ben Laden», *Libération*, 27 septembre 2004 ; Harmony Project 2008.

de milliers de combattants (ses troupes régulières sont estimées à 80 000 hommes, dont 50 000 à 60 000 sur le front[47]), la dizaine de milliers de jihadistes étrangers constitue un pourcentage très supérieur au 0,5 % qu'étaient les islamistes radicaux étrangers en Afghanistan.

Plusieurs de ces jeunes ont déjà trouvé la mort, comme les deux demi-frères français Jean-Daniel et Nicolas Bons (surnommé Abu Abd al Rahman), le premier en août, le second en décembre 2013, ou l'Anglais d'origine marocaine, Choukri Ellekhlifi, surnommé Abu Hujama al-Britani, qui s'est fait tuer en août 2013 en Syrie après avoir tenté de financer son jihad par des vols en menaçant plusieurs personnes dans les rues de Londres.

La collecte des fonds pour les jihadistes en Syrie se ferait en Grande-Bretagne, mais aussi en France et dans les pays musulmans comme l'Arabie saoudite, le Qatar et les Émirats. Comme on l'a déjà souligné, les jihadistes européens parlent souvent de « mission humanitaire » dans leurs interviews ou messages avant leur départ, voire au début de leur séjour en Syrie, perpétuant ainsi une tradition qui trouve en France son origine dans le fameux « gang de Roubaix », actif en 1996, dont certains membres comme Lionel Dumont avaient participé à des missions humanitaires en Croatie avant de rejoindre les islamistes radicaux dans la guerre en Bosnie. L'identification des candidats européens au jihad avec le groupe jihadiste se fait dans la fraternité des armes au fur et à mesure de leur immersion dans les combats aux côtés des jihadistes endurcis, en partageant d'abord les tâches subalternes (distribuer l'eau, faire la cuisine, transporter les blessés…) auxquelles sont affectés les nouveaux arrivants, en passant par l'entraînement

---

47. « "La France a une responsabilité historique" en Syrie », *Le Monde*, 27 juillet 2013.

plus ou moins rudimentaire et l'endoctrinement idéologique. Ne parlant pas l'arabe, les jihadistes européens sont souvent regroupés par pays d'origine, et les liens affectifs qui se créent entre les individus de même nationalité peuvent se révéler précieux, une fois de retour dans le pays d'origine, pour y monter un groupuscule extrémiste.

Selon des sources relativement fiables, en Europe de l'Ouest, pratiquement aucun pays n'échappe au recrutement jihadiste. Le jeune footballeur allemand d'origine turque Burak Karan semblait avoir un avenir brillant de professionnel devant lui ; certains de ses collègues comme Sami Khedira, Dennis Aogo et Kevin Boateng, eux aussi d'origine immigrée, sont devenus des stars. Mais Karan est mort en Syrie en octobre 2013, près de la ville d'Asas, tué dans un bombardement aérien par le régime d'Assad[48].

Les jihadistes danois ne sont pas en reste. Abu Khattab, très probablement tué sur le front syrien en novembre 2013, a déposé deux vidéos sur YouTube où il prône le jihad en danois. Selon Kattab, les douceurs de la vie danoise ne sont qu'un leurre destiné à éloigner les jeunes musulmans de la voie du jihad :

> Nous avons été pourvus de tout au Danemark. Nos parents ont tout payé pour nous, on nous a donné du pain et du lait gratuitement, mais les [mécréants] n'ont pas pu nous tromper. […] Mes chers frères, jihad est la plus grande récompense. Votre sang va sentir doux…, mes chers frères et sœurs au Danemark, vous devriez venir aussi. C'est la meilleure chose à faire pour renforcer le peuple musulman et l'État islamique.

Parmi les jihadistes danois, on peut citer aussi Abderrozak Benarabe, le chef du gang Blågårds Plads, qui a rejoint un

---

48. « From Soccer to Jihad: German Football Talent Killed in Syria », *Spiegel Online International*, 18 novembre 2013.

groupe islamiste radical, Ahrar al-Cham en Syrie. Il avait été accusé en 2006 d'avoir soudoyé deux Polonais pour exécuter cinq personnes au Danemark. Acquitté en 2010, il avait été ensuite condamné pour agression et chantage. La bande de Benarabe avait participé à une guerre de gangs qui avait opposé à Copenhague des groupes de motards à des groupes d'immigrés. Certains de ses membres se sont retrouvés en Syrie aux côtés des jihadistes. D'après une autre vidéo, Shiraz Tariq, leader du groupe salafiste Kaldet til Islam (Appelé à l'islam), a trouvé la mort sacrée en Syrie au sein du groupe très radical Jaish al-Muhajireen wal Ansar (Armée des migrants et des compagnons du Prophète), où quelques milliers de jihadistes étrangers combattent l'armée syrienne dans le but ultime d'embrasser le martyre[49]. Un autre jihadiste danois, celui-ci ex-prisonnier de Guantanamo, Slimane Hadj Abderrahmane, aurait été tué en Syrie début 2013, en luttant au sein du groupe jihadiste al-Nosra. Il avait été arrêté en 2001 en Afghanistan et transféré à Guantanamo, d'où il avait été libéré en 2004. En 2007, il avait fait dix mois de prison pour vol de cartes de crédit.

Ces exemples montrent, un peu partout en Europe, une génération perdue dont une partie a trempé dans la déviance et qui cherche l'aventure jihadiste pour donner sens à sa vie, circulant entre différents pays et trouvant une raison d'être dans son engagement absolu, en contraste avec sa situation de délinquant. La quête du sens, dans ce cas, passe par la révolte contre la société et l'affirmation d'un soi qui rompt les amarres avec le monde alentour et souvent la famille au nom

---

49. Voir «Concern over Islamist Letters sent to Muslim Inmates», *The Copenhagen Post*, 4 octobre 2013, [en ligne], http://cphpost.dk/news/concern-over-islamist-letters-sent-to-muslim-inmates.7182.html [dernière consultation en mai 2014].

d'une guerre sainte héroïque. La société est d'autant plus haïe qu'elle infériorise cette génération issue d'une immigration musulmane de classes populaires dont les enfants et les petits-enfants se sentent rejetés et voués à la victimisation. En comparaison, ce phénomène touche bien moins les États-Unis (les Américains venus faire le jihad en Syrie sont estimés à 100 environ), même si de nombreux musulmans considèrent que la politique américaine est beaucoup plus répressive à leur égard que celle de l'Europe. Ce caractère fortement européen du nouveau jihadisme peut s'expliquer par la proximité du Moyen-Orient, et par le statut précaire ou exclu des jeunes d'origine musulmane en Europe (alors qu'aux États-Unis, les musulmans blancs appartiennent plutôt aux classes moyennes et moyennes-supérieures), qui nourrit le malaise identitaire et la victimisation.

À noter que l'on trouve aussi en Syrie beaucoup de jihadistes du monde arabe, venus notamment de la Libye, qui fournit aussi des armes (les arsenaux de Kadhafi tombés aux mains des seigneurs de la guerre qui les vendent au plus offrant), de l'Égypte, mais aussi des Émirats.

Les jihadistes étrangers en Syrie ont entre une quinzaine et une trentaine d'années. Une partie de ces jihadistes survivra à la guerre et retournera en Europe (notamment en France), le mouvement ayant d'ailleurs déjà débuté. Même si les services de renseignement parviennent à les identifier dans leur grande majorité, ils ne pourront certainement pas les contrôler tous ni rassembler suffisamment de preuves pour les envoyer en prison. L'Europe a déjà connu plusieurs attentats commis par des individus qui avaient été identifiés par les services de renseignement mais n'avaient pas été arrêtés faute de preuves ou parce qu'on ne pouvait pas prévoir leur degré de dangerosité : Mohamed Merah avait été sous surveillance, de même que Michael Adebolajo et Michael

Adebowale étaient reconnus comme islamistes radicaux, mais tout cela ne suffit pas pour arrêter quelqu'un dans une démocratie.

Parmi les jihadistes qui auront survécu à la violence en Syrie, certains ressortissants d'Afrique du Nord viendront en Europe et notamment en France en raison de leurs liens familiaux avec la diaspora maghrébine. De nouveaux dispositifs de lutte anti-terroriste devraient être mis en œuvre qui feraient appel non seulement à la répression, mais aussi à la persuasion et à l'intégration des individus, notamment par des procédures de déradicalisation associant les membres du quartier d'origine des jihadistes, les autorités municipales, les instances religieuses ainsi que la police et les psychiatres.

– Radicalisation *versus* déradicalisation –

Pour empêcher la radicalisation, de nombreux pays européens ont mis en place des procédures dites de « déradicalisation », à savoir un type d'action destiné à ramener ceux qui se sont engagés dans le jihadisme vers une « normalité » définie par le renoncement à la violence comme solution aux maux dont souffre la société. Dans certaines démocraties, comme aux États-Unis par exemple, cette volonté de neutralisation des radicalisés a pu être menée malgré le fait que certains types d'action ne respectaient pas les droits de l'homme (l'arrestation arbitraire et sans jugement comme à Guantanamo, les tortures inadmissibles comme la simulation de noyade (*waterboarding*) et d'autres formes de pression psychologique ou physique pratiquées à la prison d'Abu Ghraib en Irak lors de l'occupation par l'armée américaine). Dans les pays non démocratiques, comme la plupart des pays du Moyen-Orient et d'Afrique du Nord, l'attitude de « déradicalisation » pose problème, en plus de celui des droits de l'homme : comment se fier à des gouvernements qui répriment la population au mépris de la volonté populaire ? Comment avoir confiance dans leur façon de traiter les détenus (torture physique, pressions psychologiques et physiques intolérables…) et comment se fier à leurs statistiques de « déradicalisation » ?

L'Arabie saoudite par exemple se targue d'un taux de réussite de son programme de déradicalisation de plus de 90 %. Ce chiffre est équivoque, au regard de la teneur des programmes et de leurs visées sociopolitiques, ainsi que des immenses avantages consentis (offre aux « déradicalisés » d'un travail relativement bien rémunéré, encouragement matériel et financier à leur mariage, encadrement idéologique pour les détourner de leur vision de l'islam radical et leur faire adopter une conception « modérée » de la religion d'Allah).

En tout état de cause, la déradicalisation en démocratie implique le respect de la conscience intime de l'individu et la mise en œuvre de procédures ayant pour but d'amener les anciens condamnés « pour association de malfaiteurs en vue d'une action terroriste » à ne plus envisager la violence comme mode privilégié d'action. La déradicalisation, tentée en Grande-Bretagne et par la suite aux États-Unis (qui s'en sont directement inspirés) et dans quelques autres pays européens (la Norvège pour les néo-nazis), peut évidemment servir directement ou indirectement de modèle aux modes d'intervention des pouvoirs publics dans les autres sociétés européennes. Ce mode d'action peut rendre service aux uns et aux autres, s'il est envisagé en collaboration avec la police, les municipalités et les groupes de voisinage (ce que l'on appelle les communautés dans le monde anglo-saxon et dont on dénonce la reconnaissance comme un premier pas vers le communautarisme en France).

Des directives à destination des pays européens ont été conçues par la Commission européenne afin de mettre en œuvre des mesures destinées à prévenir la radicalisation (Commission européenne 2014).

En France, compte tenu de la méfiance des pouvoirs publics vis-à-vis de ce type d'action, dans un contexte de séparation du religieux et du politique, aucun programme de déradicalisation n'a encore pu voir le jour et seul un plan de lutte contre les filières jihadistes vers la Syrie a été mis en place par le gouvernement, avec l'ouverture d'un numéro vert pour les familles dont l'un des enfants serait exposé à la radicalisation[50]. La privation de passeport, notamment pour les mineurs, et un dispositif de réinsertion individualisée sont d'autres mesures envisagées dans le cadre de ce plan.

50. « Le plan de lutte contre le djihad entre en action », *Le Nouvel Observateur* avec AFP, 30 avril 2014.

– Conclusion –

Dans le contexte actuel de globalisation de l'information et de l'économie, ce qui se passe dans un coin du monde finit par avoir des répercussions insoupçonnées ailleurs. La guerre civile en Syrie, le développement du jihadisme en son sein avec la participation de jeunes Européens et Maghrébins qui s'y radicalisent encore plus et y apprennent le maniement des armes auront des conséquences inédites en Europe quand ces jeunes y reviendront. On assistera à des actions violentes qui engendreront la peur et accroîtront racisme et islamophobie dans la société si aucune solution n'est imaginée.

La radicalisation est protéiforme : elle se renouvelle et s'adapte à chaque nouveau contexte en tentant de neutraliser la lutte des États contre elle. Le jihadisme est pour le moment la transposition privilégiée de la nouvelle radicalisation en Occident et dans le monde musulman. Mais celle-ci s'étend d'ores et déjà à d'autres types d'idéologie comme l'extrémisme xénophobe et anti-islamique de l'extrême droite et avec les actions violentes menées par de nombreux groupes (anti-avortement aux États-Unis, écologie radicale, etc.) dont la logique d'action se précise selon les circonstances au rythme des transformations des services de renseignement chargés de les combattre.

Les nouvelles formes de radicalisation sont à la fois plus imprévisibles et plus limitées que les précédentes : en Occident, les individus impliqués sont moins nombreux, les groupes constitués plus restreints, les adeptes sont psychologiquement plus fragiles et leur capacité de violence plus limitée qu'à l'époque du 11 septembre 2001 où près de 3 000 personnes trouvent la mort par l'action meurtrière de 19 individus radicalisés encadrés par al-Qaida. Du fait même du « succès » des services de renseignement et des forces de l'ordre à l'échelle de l'Occident, l'effet destructeur des radicalisés est beaucoup plus restreint que par le passé dans cette partie du monde et notamment en France. D'un côté, les radicalisés sont devenus plus imprévisibles (la police a du mal à identifier des individus ou des groupes très restreints), de l'autre ils sont moins meurtriers car la mobilisation de la police au sens large les pousse à opérer désormais en groupuscules de quelques individus au maximum.

La radicalisation a changé de forme durant les dernières décennies. La Révolution islamique en Iran en 1979, la guerre en Afghanistan avec l'invasion soviétique la même année, les péripéties de sa fin en 1989, la période d'incubation d'un nouveau type de jihadisme en opposition aux États-Unis (« l'ennemi lointain ») et les attaques du 11 septembre 2001 ont été des moments critiques. Par la suite, à partir du XXIe siècle, c'est le jihadisme maison qui est devenu le plus récurrent en Europe[51]. Avec les révolutions arabes de 2010-2011 s'est ouverte une nouvelle période s'achevant avec la guerre civile en Syrie et l'émergence des États défaillants en Libye et au Yémen. On assiste à une nouvelle ère de l'islamisme radical où al-Qaida, qui avait été mis sur la défensive

---

51. En France cela a commencé plus tôt, en 1995, avec huit attentats de juillet à octobre qui ont fait 8 morts et quelque 200 blessés.

quelques années plus tôt par les attaques américaines, parvient à se reconstituer de manière décentralisée, notamment en Irak et en Syrie, mais aussi en Égypte (dans le désert du Sinaï) et en Tunisie (en particulier à la frontière algérienne). En Syrie, la concentration de plusieurs milliers de combattants du jihad, dont près de 2 000 Européens, laisse présager une vague de retours très difficiles si des solutions appropriées ne sont pas adoptées. Comment agir avec les quelques centaines de Français – mais aussi de Belges, d'Anglais, d'Allemands, de Danois et bien d'autres – qui rentreront en Europe après avoir fait la guerre sainte en Syrie ? Des mesures exclusivement répressives ne suffiront pas. Il faudra procéder à la déradicalisation sous une forme adaptée à la laïcité française. On devra constituer des groupes formés d'imams, de responsables municipaux, d'agents de police, d'autorités du quartier (les « barbes-blanches ») et de psychologues afin de diriger vers une vie différente les jeunes en désarroi habitués à voir dans la violence la seule solution possible à leurs problèmes. Il faudra intégrer ces jeunes à la vie sociale en leur faisant éviter, si possible, le cercle infernal de la violence décuplée et pour finir, de la prison ou de la mort. Compte tenu de la neutralité de l'État laïque, la France n'est pas réputée pour sa capacité à promouvoir ce type de structure, déjà en place au Royaume-Uni et dans bien d'autres pays européens, ainsi qu'aux États-Unis. Tout l'arsenal répressif du monde ne sera pas suffisant pour mettre fin à ce type de violence idéologique, si la mise au pas n'est pas accompagnée d'une prise en charge psychologique et théologique à même de faire changer la vision du monde des combattants de la foi. L'application de la laïcité dans sa version rigide empêchera la coopération des autorités religieuses et civiles au sein de structures souples où les agents de l'État côtoieraient ceux de la société civile et des communautés réelles. Il faudra surmonter cette crainte d'une trop grande proximité avec la religion afin d'éviter le déchaînement de la violence de part et d'autre.

Le jihadisme a entraîné la remise en cause partielle de certaines libertés fondamentales, notamment liées à l'expression, en créant des situations qui ont poussé le législateur à assimiler de plus en plus les modes de propagande extrémistes à des actes justiciables de punition légale : les clauses sur le «jihad médiatique» (ou l'incitation à la violence en Grande-Bretagne) peuvent ainsi s'apparenter à la reconnaissance juridique de «crimes d'intention». Cette modification du droit, mise en place en accord avec une opinion publique qui se sent menacée, contribue à estomper la frontière entre la parole et l'acte, la parole étant désormais assimilée à un «acte en paroles» plutôt qu'à une expression verbale dont la liberté serait garantie par la démocratie. Si ces restrictions de la liberté d'expression durent encore quelques décennies, elles paraîtront normales aux générations suivantes, limitant ainsi la liberté de parole qui allait de soi pour les fondateurs de la démocratie.

Plus globalement, les nouvelles formes d'extrémisme dont le jihadisme est la forme dominante depuis plus d'une décennie sont l'indice d'un profond malaise dans le monde contemporain. On peut certes les mettre sur le compte de la responsabilité individuelle ou du radicalisme religieux ou idéologique. Mais le malaise des sociétés modernes dont Durkheim parlait en termes de rupture du lien social, combiné à l'exclusion économique au sein d'une culture de masse égalitaire par essence, engendrent un mal nouveau que nos sociétés ne maîtrisent que très imparfaitement. La mondialisation est allée de pair avec un profond sentiment d'oppression et de frustration qui n'est plus idéologiquement encadré comme il l'était au temps de la guerre froide. Si l'on définit la citoyenneté comme l'intégration économique et sociale dans une société, la radicalisation – avec son expression la plus tangible, le terrorisme – est l'un des lieux où se joue le mal-être d'une partie des citoyens dans un monde dépourvu de réelle citoyenneté.

– Bibliographie –

AS-SALAFI, Abu Ameenah AbdurRahman & AbdulHaq AL-ASHANTI, 2011. *Abdullah El-Faisal al-Jamaiki: A Critical Study of His Statements, Errors and Extremism in Takfeer.* Luton, Jamiah Media.

ADRAOUI Mohamed-Ali, 2013. *Du Golfe aux banlieues: le salafisme mondialisé.* Paris, PUF, coll. «Proche Orient».

ANDRÉ-DESSORNES Carole, 2013. *Les femmes-martyres dans le monde arabe: Liban, Palestine et Irak.* Paris, L'Harmattan.

BAKER, Abdul Haqq, 2011. *Extremists in Our Midst: Confronting Terror.* Basingstoke, Palgrave Macmillan, coll. «New security challenges series».

BAKKER Edwin, Christophe PAULUSSEN & Eva ENTENMANN, 2013. «Dealing with European foreign fighters in Syria: Governance challenges and legal implications», *ICCT Research Paper*, 16 décembre.

BERGEN Peter, 2006. *Ben Laden l'insaisissable.* Traduit par Joseph Antoine et Pascal Loubet, Neuilly-sur-Seine, Michel Lafon.

BORUM Randy, 2001. «Radicalization into violent extremism. I. A review of social science theories», *Journal of Strategic Security*, 4 (4): 7-36.

BOUZAR, Dounia, 2014. *Désamorcer l'islam radical: ces dérives sectaires qui défigurent l'islam*. Ivry-sur-Seine, Éditions de l'Atelier.

BRONNER Gérald, 2009. *La pensée extrême: comment des hommes ordinaires deviennent des fanatiques*. Paris, Denoël.

CANNAC René, 1961. *Aux sources de la révolution russe: Netchaïev. Du nihilisme au terrorisme*. Préface d'André Mazon, Paris, Payot, coll. « Bibliothèque historique ».

COMMISSION EUROPÉENNE, 2014. *Preventing Radicalisation to Terrorism and Violent Extremism: Strengthening the EU's Response*, Bruxelles, Commission européenne, COM (2013) 941 final.

COOK David (dir.), 2010. *Jihad and Martyrdom*. Londres, Routledge.

COOLSAET Rik, 2005. « Radicalisation and Europe's counter-terrorism strategy », La Haye, Royal Institute for International Relations (Brussels) & Ghent University, The Transatlantic Dialogue on Terrorism CSIS/Clingendael The Hague.

CRENSHAW Martha, 2005. « Political explanations », in *Addressing the causes of Terrorism*, Madrid, Club de Madrid, coll. « Club de Madrid Series on Democracy and Terrorism », vol. 1: 13-19.

DARTNELL Michael, 1995. *Action directe: Ultra-Left Terrorism in France*, 1979-1987. Londres, Cass.

DEVEREUX Georges, 1970. *Essais d'ethnopsychiatrie générale*, Paris, Gallimard, collection Tel.

DUBET François, 2008 [1987]. *La galère, jeunes en survie*. Paris, Seuil, coll. « Points ».

FILIU Jean-Pierre, 2006. *Les frontières du Jihad*. Paris, Fayard.

GAMBETTA Diego (dir.), 2005. *Making Sense of Suicide Missions*. Oxford, Oxford University Press.

HARMONY PROJECT, 2008. « Bombers, Bank Accounts, and Bleed Out: al-Qa'ida's Routes in and out of Iraq », rapport, New York, Combating Terrorism Center at West Point.

JUERGENSMEYER Mark, 2003. *Terror in the Mind of God: The Global Rise of Religious Violence*. Berkeley, University of California Press.

KEPEL Gilles, 2003. *Jihad. Expansion et déclin de l'islamisme*. Paris, Gallimard, coll. « Folio actuel ».

KHOSROKHAVAR Farhad, 1997. *L'islam des jeunes*. Paris, Flammarion, coll. « Essais ».

—, 2009. *Inside Jihadism: Understanding Jihadi Movements Worldwide*. Boulder et Londres, Paradigm Publishers, coll. « Yale Cultural Sociology Series »

—, 2004. *L'islam dans les prisons*. Paris, Balland, coll. « Voix et regards ».

—, 2011. *Jihadist Ideology: The Anthropological Perspective*. Aarhus (Danemark), Centre for Studies in Islamism and Radicalisation, Department of Political Science, Aarhus University.

—, 2013. « Radicalization in prison: The French case », *Politics, Religion & Ideology*, 14 (2): 284-306 [en ligne] URL: http://dx.doi.org/10.1080/21567689.2013.792654, consulté le 2 mai 2014.

LAPEYRONNIE Didier, 2008. *Le ghetto urbain: ségrégation, violence, pauvreté en France aujourd'hui*. Paris, Robert Laffont, coll. « Le monde comme il va ».

LASKE Karl, 2012. *La mémoire du plomb*. Paris, Stock.

LEIKEN Robert S. et Steven BROOKE, 2006. « The quantitative analysis of terrorism and immigration: An initial exploration », *Terrorism and Political Violence*, 18: 503-521.

McCauley Clark & Sophia Moskalenko, 2008. «Mechanisms of political radicalization: Pathways towards terrorism», *Terrorism and Political Violence*, 20 (3): 415-433.

—, 2011. *Friction: How Radicalization Happens to Them and Us.* Oxford, Oxford University Press.

Merah Abdelghani avec Mohamed Sifaoui, 2012. *Mon frère ce terroriste.* Paris, Calmann-Lévy.

O'Neill Sean & Daniel McGrory, 2006. *The Suicide Factory, Abu Hamza and the Finsbury Park Mosque*, Londres, Harper Perennial.

Pape Robert, 2006. *Dying to Win: The Strategic Logic of Suicide Terrorism.* New York, Random House.

Patricot Aymeric, 2013. *Les Petits Blancs: un voyage dans la France d'en bas.* Paris, Plein Jour.

Pavey Eleanor, 2006. «Les kamikazes sri lankais», *Cultures & Conflits*, 63, automne: 135-154.

Pedahzur Ami, 2004. «Toward an analytical model of suicide terrorism – A comment», *Terrorism and Political Violence*, 16 (4): 814-844.

Rivoire Jean-Baptiste, 2011. *Le Crime de Tibhirine, révélations sur les responsables.* Paris, La Découverte, coll. «Cahiers libres».

Rougier Bernard, 2004. *Le jihad au quotidien.* Paris, PUF, coll. «Proche Orient».

Sageman Marc, 2004. *Understanding Terror Networks.* Philadelphie, University of Pennsylvania Press.

Sageman Marc, 2008. *Leaderless Jihad: Terror Networks in the Twenty-First Century.* Philadelphie, University of Pennsylvania Press.

Savoie Pierre, 2011. *RG: la traque d'Action directe.* Paris, Nouveau Monde éditions.

Silber Mitchel D. & Arvin Bhatt, 2007. «Radicalization in the West: The homegrown threat», rapport, New York, New York City Police Department, Intelligence Division.

Steiner Anne & Loïc Debray, 2006. *RAF. Guérilla urbaine en Europe occidentale.* Éditions l'Échappée, coll. «Dans le feu de l'action».

Thomson, David, 2014. *Les Français jihadistes.* Paris, Les Arènes.

Vareilles Thierry, 2005. *Histoire d'attentats politiques, de l'an 44 av. Jésus-Christ à nos jours.* Paris, l'Harmattan

Wieviorka Michel, 1988. *Sociétés et terrorisme.* Paris, Fayard.

Wilner Alex S. & Claire-Jehanne Dubouloz, 2010. «Homegrown terrorism and transformative learning: an interdisciplinary approach to understanding radicalization», *Global Change, Peace & Security*, 22 (1): 33-51.

Zarate Juan C., 2013. *Treasury's War.* New York, PublicAffairs.

la Infitah ? (?)

• should look at prison literature in general: rel & pol conversion. Revolution, martyrdom.

Achevé d'imprimer en novembre 2014
sur les presses de la Nouvelle Imprimerie Laballery
58500 Clamecy
Dépôt légal : décembre 2014
N° d'impression : 411182

Imprimé en France

La Nouvelle Imprimerie Laballery est titulaire de la marque Imprim'Vert®